¡Cuánto me cuentas!

a TPRS® Curriculum for Level Three Spanish

Carol Gaab & Teri Abelaira

Contributions by Kristy Placido
Illustrations by Tony Papesh

Acknowledgments

A special thank you to Justo Lamas for sharing his talent, time, and culture with us. Justo contributed two of his "Notas Culturales" for publication in this book. Our students will never forget you.

Note: Justo Lamas is a fantastic singer from Buenos Aires, Argentina. Dedicated to bridging the gap between cultures, he travels the United States performing his incredible music for student groups. He brings new life to old favorites and lights up the stage with original hits. For information on purchasing a CD, video, poster, or to book a concert at your school, please visit **www.justo-lamas.net.**

Endless thanks to **Teri Abelaira** for her expertise, creativity and dedication to creating a pedagogically sound level 3 program.

Copyright © 2008 by TPRS Publishing, Inc.
P.O. Box 11624
Chandler, AZ 85248
800-TPRISFUN
Info@tprstorytelling.com
www.tprstorytelling.com

All rights reserved. No part of this book may be reproduced or transmitted in any form or by any means, electronic or mechanical, including photocopying, recording or by any information storage or retrieval system, without express written consent from the publisher.

Table of Contents

Capítulo uno:
El encierro peligroso

Mini-cuento A

se resbaló con un plátano

el dueño

si fueras más inteligente, no mirarías...

¡Qué susto!

sudaba

se negó

Mini-cuento B

estaba distraído

le dolía la cabeza

Si pudiera leer cualquier libro, leería...

leía la guía turística

Si pudiera ir a cualquier lugar, iría...

la calle principal

Mini-cuento C

daba un paseo

necesitaba relajarse

la aguja

Si tuviera...,¿qué haría?

ladró

Si alguien le diera una inyección en el trasero, ¿qué haría?

Mini-cuento D

una herida grave

la sangre

trató de proteger

le sale un cuerno

Si me hubiera pasado, yo habría...

Si no hubieras tenido..., no te habrías...

Mini-cuento A

se resbaló con un plátano	**el dueño**
si fueras más inteligente, no mirarías...	**¡Qué susto!**
sudaba	**se negó**

Mi tía tenía un mono que tenía un problema. El sudaba muchísimo cuando comía comida picante. Sudaba bastante cuando comía jalapeños y sudaba aun más cuando comía salsa verde. Pero sudaba más que nunca cuando comía plátanos picantes. Cuando comía plátanos picantes, sudaba más de tres litros. Mi tía siempre iba a un restaurante de plátanos picantes con su mono. Ella siempre ordenaba plátanos picantes y el mono siempre comía los plátanos de mi tía. Mi tía le decía: "Si fueras más inteligente, no mirarías esos plátanos". Pero al mono le encantaban los plátanos picantes y, por eso, le respondía: "Si fueras más considerada, no mirarías ni ordenarías los plátanos picantes del menú".

Un día, mi tía y el mono fueron al restaurante de plátanos picantes y mi tía pidió un plato de plátanos súper picantes. El mono comió un plátano y sudó 2 litros, que cayeron al suelo. El dueño del restaurante, que estaba distraído, resbaló con un plátano y se cayó en el suelo mojado: ¡Qué susto! Furioso, miró a mi tía y le dijo: "Si su mono no fuera tan sudoroso, las personas no resbalarían ni se caerían". Mi tía le contestó: "Si sus plátanos no fueran tan picantes, mi mono no los miraría, ni los comería. Y si no fueran tan picantes, mi mono no sudaría tanto". Furioso y lastimado, el dueño se fue al médico. El médico no le encontró ningún problema. Dijo: "Sólo fue un susto", y le dio la cuenta: ¡La cuenta fue de $ 589! ¡Qué susto! El dueño del restaurante le dijo al doctor: "Si Ud. fuera una persona honesta, no me cobraría tanto dinero". El doctor le respondió: "Si Ud. no fuera tan torpe, no resbalaría ni necesitaría un doctor".

Enojado, el dueño volvió al restaurante y le dijo a mi tía: "Si Ud. fuera una persona correcta, me pagaría la cuenta del médico". Ella se negó a pagar la cuenta del hospital, diciendo: "Si Ud. fuera un hombre decente, no me pediría que pagara la cuenta del médico, ya que sus plátanos picantes fueron la causa de que mi mono sudara. Además, si sus plátanos no fueran tan picantes, mi mono no sudaría tanto". El dueño le respondió: "Pues, si Ud. fuera una mujer buena, no se negaría a pagar la cuenta del médico". Al final, mi tía no pagó la cuenta del médico, ni pagó la cuenta de la comida tampoco. Salió del restaurante y le dijo al mono: "Si fueras un mono inteligente, en el futuro, sólo comerías melones". Ahora, el mono sólo come melones.

Da tu opinión

1. Si fueras el mono, ¿comerías plátanos picantes otra vez?
   No, porque no quería sudar como loco.
2. Si fueras la dueña del mono, ¿llevarías al mono a ese restaurante otra vez?
3. Si fueras el dueño del restaurante, ¿pedirías a la mujer que pagara la cuenta del médico?
4. Si fueras la dueña del mono, ¿pagarías la cuenta del médico?
5. Si fueras la dueña del mono, ¿pagarías la cuenta de la comida?

Versión #2 del Mini-cuento A

El dueño del restaurante y la dueña del mono fueron a un MEDIADOR para resolver su problema. El siguiente diálogo es un resumen de como resolvieron el problema (El mediador estableció una relación amistosa con ellos y por eso les habla en la forma de tú).

Mediador: Señorita, tú tenías un mono que tenía un problema, y tú sabías que él sufría de este problema antes de ir al restaurante, ¿verdad?

Mujer: Sí.

Mediador: Si fueras dueña de un mono alérgico a los gatos, ¿lo llevarías a una casa con muchos gatos?

Mujer: No.

Mediador: Entonces ¿por qué lo llevaste?

Mujer: Porque es mi restaurante favorito.

Mediador: Pero tu mono sudaba muchísimo cuando comía plátanos picantes. Y el día que estaban en el restaurante, tú pediste plátanos súper picantes. Si tú sabías que el mono iba a sudar mucho, ¿por qué pediste plátanos súper picantes?

Mujer: Porque a mí me gustan los plátanos picantes.

Mediador: Y, tú, amigo, no prestabas atención; por eso, resbalaste con un plátano y caíste en el suelo mojado...

Hombre: Correcto.

Mediador: ¿Te resbalas y te caes frecuentemente?

Hombre: Sí.

Mediador: Si fueras más atento, ¿te resbalarías y te caerías tan frecuentemente?

Hombre: No.

Mediador: Si fueras más atento, ¿estaría mojado el piso de tu restaurante o lo limpiarías inmediatamente?

Hombre: Lo limpiaría inmediatamente.

Mediador: Entonces... Fuiste al hospital inmediatamente y el médico no te encontró ningún problema.

Hombre: Exactamente.

Mediador: El médico te dio la cuenta de $ 589 y tú volviste al restaurante. Luego, le diste la cuenta a la dueña del mono y le pediste que la pagara. ¿Es correcto?

Hombre: Sí.

Mediador: Y tú, señorita, te negaste a pagar la cuenta del hospital y tampoco pagaste la cuenta del restaurante, ¿verdad?

Mujer: Sí. Porque él me dijo que me llevara el mono inmediatamente.

Mediador: Luego, saliste del restaurante, y ahora el mono sólo come melones.

... Amigo, como tú no prestaste atención cuando te caíste y como le dijiste a la señorita que se llevara el mono, yo pienso que todo está bien así. El castigo de sólo comer melones me parece justo. Tú tienes que pagarlo todo. La verdad es que tú te resbalaste porque no prestas atención. La culpa es tuya.

Da tu opinión

1. Si fueras mediador en una situación similar, ¿harías lo mismo?

2. Si fueras el dueño del restaurante, ¿cómo te sentirías?

3. Si fueras el mono, ¿comerías plátanos picantes otra vez?

4. Si fueras la dueña del mono, ¿cómo te sentirías?

5. ¿Cuál es tu opinión de la resolución?

Mini-lectura cultural: Los platos picantes

En algunos países Latinoamericanos se preparan comidas muy picantes. En estas comidas, se usan sustancias que se encuentran en las hojas o en las raíces de las plantas. Curiosamente, cuanto más alta es la temperatura, más picantes son las comidas.

Hay muchas personas que comen comidas picantes todos los días. Los turistas siempre compran picante porque están interesados en las comidas y condimentos típicos, y los dueños de las tiendas les explican que los picantes no sólo se usan para preparar comidas, sino también como remedios para **resfriados**[1]. Los dueños de las tiendas muchas veces se niegan a vender picantes porque piensan que los turistas no saben sus usos y, obviamente, podrían llevarse un gran susto.

Muchas especies de condimentos son domésticas, es decir, se cultivan en las casas. En México, hay variedad de chiles picantes o dulces. La comida Boliviana también los usa. En Perú, los ajíes o pimientos picantes obligan a las personas a beber mucha agua. Si fueran más inteligentes, los turistas no comerían esos ajíes, porque muchos van al hospital con dolor de estómago.

En Venezuela, combinan las comidas picantes con frutos dulces, como el plátano. Dicen que es muy rico pero hay que saber cómo prepararlos. Hace poco tiempo, científicos ingleses descubrieron que algunos picantes son muy buenos para curar algunas **enfermedades**[2], no sólo resfriados, sino también algunas mucho más graves.

[1]**colds** [2]**illnesses**

√ Contesta las siguientes preguntas.

1. ¿Has probado comida picante? Explícalo.

2. Si fueras a un país donde se come comida picante, ¿la probarías? Explícalo.

3. Si fueras a un restaurante de comida picante, ¿ordenarías un plato picante o uno que no lo es? Explícalo.

Nota: En una situación hipotética, no sólo se usa "fuera" o "fuese" para el verbo "ser". También se usa "fuera" o "fuese" para el verbo "ir".

√ Lee estas respuestas de chicos argentinos y decide a cuál de estos dos verbos (ser o ir) se refiere "fuera".

1. "Si fuera a un país exótico, comería hamburguesas todos los días". (Julián, 12 años)

2. "Si fuera actriz, tendría muchos novios". (Anabela, 14 años)

3. "Si fuera un animal, sería un león". (Fernando, 16 años)

4. "Si fuera a la luna, me metería en un cráter". (Juan Cruz, 16 años)

5. "Si fuera a la escuela sábados y domingos, estaría furiosa". (Sol, 12 años)

6. "Si fuera millonario, tendría muchos autos". (Ariel, 16 años)

-- ¿Qué respuestas son similares a las tuyas? ¿Cuáles son distintas? Da tu opinión. --

Mini-cuento B

estaba distraído	**le dolía la cabeza**
Si pudiera leer cualquier libro, leería	**leía la guía turística**
Si pudiera ir a cualquier lugar, iría...	**la calle principal**

Mi amigo, Miguel, estaba de vacaciones con sus padres (O, más bien, sufría sus vacaciones con sus padres). De noche, los padres de Miguel leían las guías turísticas con interés y Miguel leía la guía turística, pero sin interés. De día, los tres paseaban por las calles principales de Barcelona y entraban a cada museo que veían. A Miguel le dolía la cabeza en cada museo, y leía la guía mientras pensaba: "Si pudiera leer cualquier libro, no leería una guía turística".

Un día, Miguel y su familia entraron en el museo Picasso, cerca de una de las calles principales de Barcelona. Mientras los padres miraban las pinturas en el Museo Picasso, al niño le dolía la cabeza. Leía la guía del Museo Picasso y pensaba: "Si pudiera ir a cualquier lugar, no iría a ver pinturas. Y si pudiera leer cualquier libro, leería un libro de playas famosas y no sobre las pinturas del museo". Pero los padres de Miguel estaban tan distraídos con las pinturas que miraban y las guías turísticas que leían que no se daban cuenta de que Miguel estaba aburrido y quería ir a otro lado.

Otro día, Miguel y su familia fueron a doce museos. En cada uno, a Miguel le dolió la cabeza y pensó: "Si pudiera ir a cualquier lugar, iría a otra parte y no a un museo. Y si pudiera leer cualquier libro, no leería una guía de museos ¡NI LOCO!". A Miguel no le interesaban ni los museos ni las calles principales y mucho menos las guías de los museos. A Miguel le dolía la cabeza porque quería ir a la playa. Por eso, en todos los museos a Miguel le dolía la cabeza mientras pensaba: "Si pudiera ir a cualquier lugar, no iría a un museo. Si pudiera ir a cualquier lugar, iría a la playa". Pero sus padres querían ir a todos los museos de las calles principales, y también a los museos de las calles que no eran principales.

Miguel estaba distraído en los museos y también estaba distraído mientras paseaban por la calle principal. Miguel no prestaba atención a las pinturas y decía a sus padres: "Si pudiera ir a cualquier lugar, no iría a un museo". Pero sus padres siempre estaban distraídos o leían la guía turística y no le prestaban atención a Miguel. Miguel pensaba: "Si pudiera leer cualquier otro libro, leería un libro de playas famosas". Un día, Miguel y sus padres estaban en la calle principal de Barcelona y se subieron a un taxi. Su papá estaba muy distraído porque le dolía la cabeza y su madre estaba muy distraída porque leía la guía turística. Ese día, Miguel no estaba distraído. Estaba muy atento. Cuando el chofer del taxi le pidió la dirección, Miguel le dio la dirección de la playa. El chofer los llevó a la playa y sin darse cuenta de dónde estaban, los padres se bajaron del taxi. ¡El muchacho estaba contento! Miguel corrió al mar y estaba tan contento que sorprendió a sus padres. Su madre le dijo a su padre: "Si pudiera ir a otro lugar, iría a otro museo".

Versión #2 del Mini-cuento B

La historia continúa...

Cuando llegaron a la playa, los padres de Miguel estaban confundidos y enojados. Su mamá gritó: "¡Qué susto! ¿Dónde estamos?". Miguel les respondió: "Estamos en la playa". Su mamá preguntó: "¿Cómo llegamos aquí?". Entonces, Miguel les dijo la verdad:

Yo me cansé de ir a tantos museos. Mamá, tú querías ir a cada museo de la ciudad. Papá, tú querías visitarlos todos también. Yo, por el contrario, no quería ir a ninguno, y por eso estaba distraído. Para mí, los museos son horribles y aburridos. Si pudieran ir de vacaciones a cualquier lugar, ¿irían a lugares aburridos? Yo siempre les decía que si pudiera ir a cualquier lugar, iría a la playa, pero ustedes nunca me prestaban atención. Por eso, cuando nos subimos a un taxi, me dije: "¡Esta es mi oportunidad!"

Ustedes estaban distraídos: Mamá, tú leías la guía turística y tú, Papá, estabas distraído porque te dolía la cabeza. Si Uds. estuvieran en un lugar horrible, ¿no tratarían de ir a un lugar hermoso? Bueno, yo vi que Uds. estaban distraídos y cuando el conductor me preguntó adónde íbamos, yo le di la dirección de la playa. Uds. nunca supieron que no estábamos en la calle principal. Mamá, te bajaste del taxi y no te diste cuenta de dónde estábamos porque estabas distraída. Papá, tú tampoco te diste cuenta porque te dolía la cabeza. Las vacaciones no son sólo suyas: SON NUESTRAS.

√ Si fueras de vacaciones aburridas con tus padres y ellos estuvieran distraídos, ¿adónde los llevarías?

____

____

____

¡Cuánto me cuentas!

√ Completa con tu idea.

1. Si pudiera ir de vacaciones a una ciudad con museos y playa, iría a ________________.

2. Si pudiera visitar la ciudad más hermosa del planeta, iría a ______________________ .

3. Si pudiera leer un libro, no leería _________________________ .

4. Si pudiera leer un cuento corto, leería __________________________.

5. Si pudiera leer una revista, leería _________________________ .

Mini-lectura cultural: Un museo que da susto

Visitar museos es común, sobre todo entre los turistas; pero la visita al Museo Fernández Blanco, en Buenos Aires, Argentina, es muy particular. Recorrer el Museo puede dar un gran susto. Además de los turistas y guías que observan con emoción las exhibiciones de arte y cultura de la época del virreinato, dicen que algunos fantasmas dan un paseo por el museo.

Uno de los fantasmas es el de una joven mujer muerta en la mansión, hoy convertida en museo. Un famoso escritor argentino pudo ver al fantasma de la joven caminando por el jardín. Algunas personas han visto, además, espíritus de los hombres que están en los **retratos**[1] del museo y otros, de los **esclavos enterrados**[2] allí. Muchos turistas distraídos alguna vez se han llevado un susto al conocer la historia. Algunos han salido con dolor de cabeza y otros, si pudieran ir a otro lugar, elegirían otro paseo y no un tour fantasmal.

Explicaciones no hay, pero visitas al Museo, sí, y sustos también. Cuando leen la guía, los turistas se sienten atraídos por la visita al Museo Fernández Blanco y, muy serios, caminan por los corredores para luego hablar de su experiencia. Los fantasmas no existen, pero muchos turistas deciden quedarse en la calle Florida, una de las principales calles de Buenos Aires, para hacer compras y no chocarse con un fantasma.

[1]portraits [2]buried slaves

√ Contesta las siguientes preguntas:

1. Si pudieras ir al Fernández Blanco, en Buenos Aires, ¿irías? ¿Por qué sí o por qué no?

2. ¿Qué piensas acerca de la existencia de fantasmas?

3. Si pudieras ir a cualquier museo, ¿a cuál irías? Descríbelo.

Un poco de gramática

Nota: When talking about a hypothetical situation that begins with an 'if' clause, the past subjunctive is used in Spanish. For example, "If you were a good student, you would study more." (*"Si fueras un estudiante bueno, estudiarías más".*) There are several **irregular past subjunctive verbs:**

	Ser	Poder	Ir	Dar	Estar
yo	fuera	pudiera	fuera	diera	estuviera
tú	fueras	pudieras	fueras	dieras	estuvieras
él, ella, Ud.	fuera	pudiera	fuera	diera	estuviera
nosotros	fuéramos	pudiéramos	fuéramos	diéramos	estuviéramos
ellos, Uds.	fueran	pudieran	fueran	dieran	estuvieran

Regular verbs in the past subjunctive are formed by adding 'ara' to AR verbs or 'iera' to IR / ER verbs:

	Hablar	Comer	Vivir
yo	hablara	comiera	viviera
tú	hablaras	comieras	vivieras
él, ella, Ud.	hablara	comiera	viviera
nosotros	habláramos	comiéramos	viviéramos
ellos, Uds.	hablaran	comieran	vivieran

The **conditional tense** is like saying "I would _____" in English. Regular conditional verbs are formed by adding "ía" variations to the end of the infinitve verb, although there are a few irregular verbs that are a bit different. The following are some examples of **regular and irregular conditional verbs:**

	Dar	Vivir	Decir	Hacer	Poner
yo	daría	viviría	diría	haría	pondría
tú	darías	vivirías	dirías	harías	pondrías
él, ella, Ud.	daría	viviría	diría	haría	pondría
nosotros	daríamos	viviríamos	diríamos	haríamos	pondríamos
ellos, Uds.	darían	vivirían	dirían	harían	pondrían

Da tu opinión

1. Si te tropezaras en frente de tu clase, ¿estarías de mal humor o te reirías?

2. Si te metieras en una casa abandonada y sintieras un golpe fuerte, ¿te asustarías y escaparías o tratarías de descubrir qué pasó?

3. Si te hundieras en el río y una persona te salvara la vida, ¿qué le dirías?

4. Si ganaras cien dólares, ¿qué harías con el dinero?

5. Si ganaras un millón de dólares, ¿qué harías con el dinero?

Mini-cuento C

necesita relajarse	**Si tuviera..., ¿qué haría?**	**ladró**
la aguja	**daba un paseo**	
Si alguien le diera una inyección en el trasero, ¿qué haría?		

Un muchacho llamado Juan tenía un perro pequeño. Juan estaba siempre muy ocupado y nunca daba un paseo con su perro. El perro estaba siempre muy nervioso y necesitaba relajarse. Por eso, un día el muchacho llamó a su mejor amigo y le dijo: "Si tuvieras un perro nervioso, ¿qué harías?". El muchacho le dijo: "Si yo tuviera un perro nervioso, lo llevaría de paseo a la casa de mis amigos". A Juan no le gustó mucho la respuesta porque no tenía tiempo para dar un paseo con su perro y menos para dar un paseo a la casa de su amigo; por eso, llamó al pastor de su iglesia y le dijo: "Si tuviera un perro que necesita relajarse, ¿qué haría?". El pastor respondió: "Si tuviera un perro que necesita relajarse, lo llevaría de paseo a la iglesia". A Juan tampoco le gustó la respuesta porque no tenía tiempo para dar un paseo con su perro y la iglesia quedaba muy lejos. Por eso, llamó al psicólogo de perros y le dijo: "Si tuviera un perro nervioso, ¿qué haría?". El psicólogo le dijo que no contestaba preguntas telefónicas, por eso Juan y su perro fueron al consultorio.

Una vez allí, el psicólogo le dijo a Juan: "Si yo tuviera un perro que necesita relajarse, le preguntaría: 'Si pudieras dar un paseo para relajarte, ¿adónde irías?', y lo llevaría a ese lugar.

Juan salió del consultorio y le dijo al perro: "Si pudieras dar un paseo para relajarte, ¿adónde irías?". El perro ladró una vez y, entonces, el dueño lo llevó a la estación de tren, pero el perro no se relajó. El muchacho le dijo al perro: "Si pudieras dar un paseo para relajarte, ¿adónde irías?". El perro ladró 2 veces. Entonces, Juan lo llevó a dar un paseo por la plaza.

Mientras daban el paseo, dueño y perro pasaron por una farmacia. El muchacho explicó al farmacéutico: "Mi perro necesita relajarse, por eso quiero un remedio para calmar sus nervios". Pero el farmacéutico no tenía remedios para calmar los nervios, así que dueño y perro bajaron a la calle y entraron en una clínica veterinaria.

El veterinario le dijo al muchacho: "¿Cuál es el problema?". Él le respondió: "Mi perro necesita relajarse, pero no sé adónde llevarlo. Si usted pudiera dar un paseo para relajarse, ¿adónde iría?". El veterinario sacó una aguja muy grande y le dijo al muchacho: "Si alguien le diera una inyección en el trasero a su perro, ¿qué haría Ud.?". "Yo estaría muy nervioso", dijo el muchacho. "Y si alguien le diera una inyección en el trasero a Ud. también, ¿qué haría?. Para relajarse, Ud. y su perro necesitan una inyección. Esto les va a ayudar con los nervios". El perro miró la aguja y pensó: "Si me diera esa inyección en el trasero, me dolería durante 50 días".

Entonces, ladró tres veces. El muchacho pensó: "Si me diera esa inyección en el trasero, me dolería 64 días". Cuando el veterinario se acercó al trasero del perro con la aguja para ponerle la inyección, el perro ladró otra vez y saltó por la ventana. El muchacho gritó: "A correr", y saltó por la ventana también. El animal bajó a la calle y siguió corriendo. Juan bajó a la calle y salió corriendo detrás del perro. Los dos corrieron y corrieron y, por fin, llegaron a Jamaica. Se metieron en el mar y, después, se relajaron en la playa. Ahora, Juan y su perro viven en Jamaica.

¿Qué harías tú?

√ Contesta las siguientes preguntas.

1. Si alguien pusiera una serpiente en tu mano, ¿qué harías?

2. Si necesitaras consejos, ¿preguntarías a tus padres o a tus amigos?

3. ¿Preferirías ir al doctor para darte una inyección o al dentista para sacarte una muela?

4. Si el doctor tuviera que darte una inyección, ¿la pedirías en el trasero o en el brazo?

5. Si necesitaras relajarte, ¿qué harías?

6. Si sólo tuvieras un día más para vivir, ¿qué harías?

7. Si tu mejor amigo(a) ganara la lotería, ¿qué haría con el dinero? ¿Lo compartiría?

8. Si pudieras hacer cualquier tipo de trabajo, ¿qué harías?

Versión #2 del Mini-cuento C

El veterinario se sentía responsable del perro y de Juan. Estaba preocupado por ellos y por eso llamó a Jamaica por teléfono para hablar con ellos. El perro contestó el teléfono y ésta es la conversación que siguió:

VET: ¿Adónde ibas cuando entraste en mi clínica?

Perro: Íbamos a dar un paseo.

VET: ¿Por qué estabas nervioso?

Perro: Porque tengo un problema de nervios y estoy preocupado frecuentemente.

VET: ¿Por qué ladraste tres veces cuando yo saqué la aguja? ¿No sabías que quería ayudarte con los nervios?

Perro: ¿Ud. les tiene miedo a las serpientes?

VET: Sí.

Perro: Si alguien le diera una serpiente, ¿Qué haría Ud.?

VET: Gritaría.

Perro: Bueno. Yo ladré porque les tengo miedo a las agujas.

VET: ¿Por qué ladraste otra vez y saltaste por la ventana cuando me acerqué a tu trasero con la aguja?

Perro: Si alguien le pusiera una serpiente cerca de su trasero, ¿Ud. no gritaría y correría?

VET: Obviamente.

Perro: Bueno. Yo ladré, bajé a la calle y escapé.

VET: ¿Por qué tu dueño corrió también?

Perro: Si su mejor amigo corriera para escapar de una situación peligrosa, ¿no correría con él?

VET: Sí. Correría y correría, y no pararía hasta Jamaica.

Perro: Bueno. Nosotros corrimos y nadamos durante tres días hasta que llegamos a Jamaica.

VET: ¿Van a regresar? ¿No echan de menos (extrañan) a sus amigos y familia?

Perro: Si Ud. pudiera ir a una playa paradisíaca donde muchachas hermosas le dieran comida exquisita, ¿regresaría a su casa?

VET: No.

Perro: Bueno, aquí las muchachas y las perritas son tan hermosas, y la comida es tan exquisita que por fin nos hemos relajado y por eso, no vamos a regresar. Pero si alguna vez estamos nerviosos, le llamaremos por teléfono.

√ Supone que vas a la escuela y tu maestra quiere darte una inyección para que aprendas más. Escribe un mini-cuento describiendo lo que te pasaría en la escuela y lo que harías en esa situación.

____

____

____

____

____

____

____

____

____

____

____

____

____

____

Mini-lectura cultural: Los spas

Muchas personas pasan algunos días en un Spa. Esta terapia es antigua, pero a todas las mujeres, y también a los hombres, les gusta relajarse por algún tiempo.

Muchos de los que se preguntan a diario: "Si pudiera dar un paseo ¿adónde iría?". Se sorprenden respondiendo que irían a un Spa a relajarse. Allí hay sesiones de gimnasia o sauna, y también de acupuntura, durante las cuales se ponen agujas en el cuerpo para sacar el dolor, pero no en el trasero. Si a las personas les dieran una inyección no les gustaría, pero ponerse unas pequeñas agujas para sacar el dolor no molesta.

Hay muchos spas en Latinoamérica, algunos con aguas termales naturales que sacan el dolor, como en Argentina y en Uruguay. En Morelo, México, hay un Spa muy conocido por el clima que hay en esa región. En la costa de Venezuela hay muchos hoteles que también poseen spas, donde además de dar un paseo por las playas también es posible relajarse durante unas horas.

En el medio de las ciudades también hay spas. Allí no se puede dar un paseo pero sí se puede pasar un día. Al final, al bajar de nuevo a la calle y a la ciudad, las personas se sienten más tranquilas, alegres y sin nervios.

Para más información acerca de los spas, visita www.spa-lasdalias.com.ar o www.mexicodesconocido.com.mx

√ Visita una de las páginas Web mencionadas u otra página de un spa y contesta las siguientes preguntas:

1. Si pudieras regalar un día de spa, ¿a quién se lo regalarías? ¿Por qué?

2. ¿Qué actividades o terapias le recomendarías?

3. Si pudieras pasar un día en un spa, ¿a cuál irías? ¿Por qué?

4. ¿Qué actividades del spa te parecen más interesantes? ¿Y las más aburridas?

Entrevista

√ Haz estas preguntas a tus compañeros. Pídeles que te expliquen el porqué de sus respuestas.

a.) Si fueras más inteligente, ¿mirarías mucha o poca televisión?

b.) Si pudieras ir a cualquier lugar, ¿irías a pasear o te quedarías en casa?

c.) Si te diera un millón de dólares el novio (la novia) de tu mejor amigo(a), ¿aceptarías el dinero sin contarle a tu amigo(a), lo aceptarías y lo compartías con tu amigo(a), o no lo aceptarías?

d.) Si fuera posible, ¿serías actor (o actriz) o modelo?

e.) Si pudieras leer cualquier cosa, ¿leerías libros, periódicos o revistas?

f.) Si pudieras hablar español perfectamente, ¿estudiarías chino o francés?

g.) Si pudieras cantar muy bien, ¿irías a "American Idol"?

√ ¿Cómo se dicen en inglés los siguientes comentarios?

1. Si (yo) pudiera comprar cualquier carro, compraría un Ferrari.

2. Si me fueran a dar una inyección, yo querría que me la dieran en el trasero.

3. Si (yo) pudiera ir a una playa bonita, iría a Puerto Vallarta en México.

4. Mi madre quería que yo estudiara francés.

5. Si tuviera la oportunidad, estudiaría español.

Prueba de Personalidad:

√ Elige una opción en cada caso.

1. Si pudiera ir a cualquier lugar durante una semana, yo iría a...

a) Egipto
b) recorrer mi estado
c) la escuela
d) Disneylandia
e) (aún no estoy decidido)

2. Si pudiera elegir con quién ir de vacaciones, yo iría con...

a) personas que no conozco
b) dos o tres amigos
c) mis profesores
d) muchas personas (amigos y familia)
e) (aún no estoy decidido)

3. Si pudiera ir un mes de vacaciones con mi familia, yo iría...

a) a un lugar sin personas, donde pueda relajarme
b) donde fueran mis amigos
c) de campamento en el patio de la escuela
d) a una ciudad muy grande y ruidosa
e) (aún no estoy decidido)

4. Si me dieran $ 1.000.000, yo...

a) viajaría por el mundo
b) le daría plata a mi familia y a mis amigos y me compraría un carro grande para dar un paseo con ellos
c) donaría el dinero para mis profesores
d) abriría una tienda en Manhattan o en París
e) pensaría qué hacer durante un año

Resultados

- Si la mayoría de tus respuestas son a), eres aventurero. Te gusta lo nuevo y lo extraño.
- Si la mayoría de tus respuestas son b), aprecias mucho estar en pequeños grupos de amigos o en familia.
- Si la mayoría de tus respuestas son c), no lo comentes con tus amigos. Se pueden enojar.
- Si la mayoría de tus respuestas son d), te gusta el ruido y las grandes ciudades.
- Si la mayoría de tus respuestas son e), eres muy indeciso.

Mini-cuento D

una herida grave
Si me hubiera pasado, yo habría...
Si no hubieras tenido..., no te habrías...
trató de proteger
le sale un cuerno
la sangre

Había un torero* que se llamaba Valentino, que todas las tardes daba un paseo con su esposa, Raquel. Raquel era muy bonita, pero tenía un problema: cuando se encontraba en peligro y tenía miedo, siempre le salía un cuerno en la nariz. Cada vez que a Raquel le salía el cuerno, Valentino se ponía como loco y le decía: "Si no hubieras tenido miedo, no te habría salido el cuerno".

Algunas veces, a Raquel le salía un cuerno muy grande, especialmente cuando la situación era muy peligrosa –como una vez que la persiguieron dos hombres para sacarle la bolsa. Esa vez, Valentino oyó los gritos de Raquel y trató de protegerla pero a Raquel le salió un cuerno grande y Valentino se chocó con el cuerno y sufrió una herida grave por la que le salió mucha sangre. Menos mal que la policía andaba cerca y al sentir los gritos pudieron proteger a Raquel y a Valentino, y atrapar a los ladrones. A Valentino le salía tanta sangre que le tuvieron que hacer una transfusión en el hospital. Mientras a Valentino le hacían la transfusión de sangre, Valentino le dijo a Raquel: "Si no hubieras tenido tanto miedo, no te habría salido el cuerno. Si esto me hubiera pasado a mí, yo habría llamado al 911 desde mi teléfono celular".

Otras veces, a Raquel le salía un cuerno pequeño, especialmente si la situación no era tan peligrosa –como una vez que vio un ratoncito en su cocina. Esa vez, a Raquel primero le salió el cuerno; después, gritó y se desmayó. Valentino no tuvo que tratar de proteger a Raquel porque el ratoncito se asustó del grito de Raquel y se murió de susto. Más tarde, Valentino le dijo a Raquel: "Hoy no tuviste tanto miedo, pero igualmente tuviste miedo. Si no hubieras tenido nada de miedo, no habrías gritado. Si no hubieras tenido nada de miedo, no te habrías desmayado. Si esto me hubiera pasado a mí, yo le habría pedido el gato a la vecina".

Grande o pequeño, siempre le salía un cuerno que molestaba a Raquel y a Valentino también. Al ver el cuerno grande, Valentino siempre le decía: "Si no hubieras tenido tanto miedo, no te habría salido un cuerno tan grande en la nariz. Aún más, si me hubiera pasado a mí, yo no habría tenido tanto miedo". Cuando el cuerno era pequeño, Valentino le decía: "Hoy no tuviste mucho miedo. Hoy tuviste un poco de miedo. Si no hubieras tenido nada de miedo, no te habría salido el cuerno pequeño en la nariz. Aun más, si esto me hubiera pasado a mí, yo no hubiera tenido miedo".

Un día, mientras Valentino y Raquel caminaban por la calle principal de Barcelona, Raquel vio un toro que corría hacia ella. ¡Qué susto! Ella tuvo miedo y le salió el cuerno en la nariz. Valentino trató de protegerla y sacó la capa para enfrentarse al toro. Raquel estaba paralizada y el cuerno crecía y crecía. El toro corrió hacia Raquel y chocó con el cuerno. Al chocar, ella sufrió una herida muy grave. Por la herida, le salía mucha sangre. La sangre de Raquel no era sangre roja y oscura –como la sangre de las personas valientes, sino sangre rosa y clarita –como la sangre de las personas miedosas.

Triste y enojado, el torero le dijo a Raquel: "Si no hubieras tenido tanto miedo, no te habrías paralizado. Si esto me hubiera pasado a mí, yo habría escapado". En unos minutos, llegó una ambulancia con un médico especialista en heridas graves. El médico revisó a la esposa de Valentino y al toro, que estaba herido e inconsciente. Después, volvió la cara hacia Valentino y le dijo: "Usted es un gran torero y salvó la vida de su esposa. Si esto me hubiera pasado a mí, yo no habría podido proteger a mi esposa". Al final, el médico curó la herida de Raquel. El toro no tuvo tanta suerte. Al chocar con Raquel, sufrió una herida fatal y se murió. Valentino miró a su esposa, que ya no tenía el cuerno, y le dijo al médico: "¡Gracias!".

***Se dice matador en México y otros países sudamericanos.**

¡Qué buena es mi memoria!

√ Lee las oraciones y escribe el nombre del personaje al cual se refieren.

1. Si ________________ no hubieran dado un paseo, no se habrían encontrado con el toro.
2. Si ________________ no hubiera tenido tanto miedo, no le hubiera salido un cuerno.
3. Si a ________________ no le hubiera salido tanta sangre, no le habrían hecho una transfusión.
4. Si ________________ no hubiera visto el cuerno, ______________ no habría tratado de protegerla.
5. Si ________________ no hubiera llegado a tiempo, ________________ hubiera podido morir.

Versión #2 del Mini-cuento D

√ Llena los espacios en blanco con la palabra apropiada para que el reportero pueda hacer la entrevista.

trataste	te quitaste	salvaste	héroe
ibas	tuviste	te salió	viste

Un reportero, que era muy buen amigo de Valentino, fue a hacerle una entrevista a Valentino y a Raquel. Él les hizo algunas preguntas para saber lo que les pasó...

REPORTERO: Valentino, tu esposa, Raquel, tenía un problema raro, ¿verdad? Cuéntanos acerca de esto.

VALENTINO: Pues, cuando ella se encontraba en peligro, y tenía miedo, siempre le salía un cuerno en la nariz.

REPORTERO: ¿Adónde (1) __________ cuando te encontraste con el toro?

VALENTINO: Iba a dar un paseo con Raquel. Íbamos por la calle principal.

REPORTERO: Entonces, Valentino, ¿ (2) __________ tú el animal?

VALENTINO: Sí, hombre.

RAQUEL: Disculpa, mi amor, pero tú no viste el toro: yo lo vi.

REPORTERO: ¿ (3) ______________ miedo cuando lo viste?

RAQUEL: ¡Claro que sí!

REPORTERO: ¿En el momento en que tuviste miedo, (4) __________ el cuerno?

RAQUEL: Sí, cuando el toro corría hacia mí, el cuerno me salió.

REPORTERO: Valentino, ¿cómo (5) __________ de protegerla en ese momento?

VALENTINO: Salté en frente de Raquel y...

RAQUEL: Disculpa, mi amor, pero primero tú (6) ___________ la capa para enfrentar al toro.

REPORTERO: ¿Y entonces?

VALENTINO: El toro chocó con el cuerno de Raquel y ella sufrió una herida muy grave. Le salía mucha sangre de la herida. En ese momento, yo iba a llorar porque pensé que Raquel iba a morirse.

RAQUEL: Cálmate, querido. Tú me (7) __________ la vida y también me curaste. Estoy muy agradecida. ¡Eres mi (8) _______________!

√ ¿Qué habría pasado si Valentino y Raquel hubieran hecho cosas diferentes? Habrían pasado cosas diferentes. Elige la respuesta que más te guste.

1. Si Valentino no hubiera dado un paseo con Raquel,...
   a) Raquel se habría enojado
   b) el toro habría atacado a otra señora
   c) a Raquel no le habría salido un cuerno
2. Si Raquel no hubiera tenido miedo,...
   a) habría tratado de proteger a Valentino
   b) habría enfrentado al toro
   c) no se habría lastimado
3. Si el toro no hubiera chocado con el cuerno de Raquel,...
   a) Valentino no lo habría enfrentado
   b) el toro habría corrido hasta la playa
   c) el toro se habría salvado
4. Si Valentino no hubiera salvado a Raquel,...
   a) Raquel se habría muerto
   b) Raquel se habría divorciado
   c) Raquel se habría casado con el toro

Mini-lectura cultural: Las corridas de toros

Las corridas de toros son una de las tradiciones españolas más conocidas en todo el mundo. Es una fiesta donde bravos toros corren atrás del torero o matador. Algunos toreros han tenido heridas graves en el espectáculo, porque fueron atropellados por los cuernos del toro. También algunos han muerto, porque aunque los médicos trataron de protegerlos, no pudieron salvarlos.

La Feria de Fallas en Valencia, España, es uno de los lugares de corridas de toros más visitados por los turistas. Sin embargo, no es recomendable para aquellas personas a quienes no les gusta la sangre. En ese caso, es mejor que den un paseo por la ciudad porque pueden impresionarse. México, Colombia, Ecuador y Venezuela también tienen corridas de toros, pero en México están las más importantes.

Un día, un fotógrafo de la revista Mundo Toro, de España, estaba muy cerca de la Plaza de Toros y se llevó un susto muy grande cuando el toro lo miró y con los cuernos le sacó su cámara de fotos. El fotógrafo trató de protegerse y corrió hacia arriba mientras gritaba que si no hubiese* tenido que trabajar, no se habría asustado tanto. ¡Olé!

* You have been learning about the **past subjunctive.** Although we will focus on the "iera" and "ara" endings, you should be aware that another form exists for ER/IR and AR verbs: "iese" instead of "iera," and "ase" instead of "ara." Look at these examples:

Si me amases (o me amaras), me llamarías por teléfono.
Si a Juan le gustase (o gustara) María, la invitaría a salir.
Si no soñase (o soñara) todo el día, tendría mejores notas en la escuela.
Si tuviésemos (o tuviéramos) dinero, no estaríamos tan tristes.
Si pudiese (o pudiera) ir de vacaciones a cualquier lugar, iría a la Antártida.

El encierro peligroso

El encierro peligroso

Un americano que se llamaba Fred estaba de vacaciones en España con su perro, Oso. Había mucho sol, hacía calor y era un día muy hermoso de julio. Fred se hospedaba en una pequeña pensión en la calle principal de la ciudad de Pamplona. Fred y Oso siempre conversaban acerca de las vacaciones. Oso era muy curioso, y siempre hacía preguntas a Fred: "Si pudieras ir de vacaciones a cualquier país, ¿adónde irías?". Algunas veces Fred le contestaba: "Si pudiera ir de vacaciones, iría a Egipto". Entonces, Oso le seguía preguntando: "Si pudieras dar un paseo en cualquier ciudad de Egipto, ¿por dónde pasearías?". Por eso, muchas veces Fred **se hacía el distraído**[1] y no contestaba.

Un día después de despertarse, Fred y Oso bajaron a la calle. Hacía un buen día para dar un paseo y Fred quería ver los edificios, la universidad y los parques en la calle principal. Mientras daban un paseo, Fred no prestaba atención. Leía su guía turística y estaba distraído. Nunca se dio cuenta de que estaba en peligro. De repente, muchos hombres corrieron rápidamente hacia Fred y Oso. ¡Qué susto! Fred necesitaba relajarse, por eso cerró los ojos y trató de relajarse. Fred se relajó, pero sólo durante dos segundos. De repente, muchos toros corrieron por la calle tras los hombres. Fred se asustó de nuevo y pensó: "Si muchos toros corrieran tras la Madre Teresa, ¿qué haría? ... ¡Rezaría!".

Fred rezaba y sudaba muchísimo mientras trataba de proteger a Oso. Sudó tres litros que cayeron al suelo. De repente, uno de los toros se les acercó rápidamente y resbaló con un plátano que estaba en la calle. El toro, que era más grande que un elefante, le pegó a Fred con el cuerno. Le metió el cuerno en el trasero y Fred sufrió una herida muy grave. El trasero, por donde le salió mucha sangre, le dolía mucho. Cuando el pobre Fred vio la sangre que salía de su herida, se desmayó. Oso pensó: "Si esto me hubiera pasado a mí, ¿qué habría hecho? ¿Me habría desmayado o habría corrido? ¿Y Fred? Si yo me hubiera desmayado, ¿qué habría hecho Fred?".

Oso ladró porque se preocupó por su dueño. Pero Oso era un héroe. Recogió a su dueño y lo llevó a un médico. El médico se negó a ayudarlo porque no tenían dinero y le dijo al perro: "Si alguien le hubiera pedido servicios a tu amo, él también se habría negado a hacerlo sabiendo que el cliente no iba a pagarle". El perro ladró y lo llevó a un veterinario. En el veterinario, Fred se despertó. Tenía un dolor de cabeza muy fuerte. Mientras el veterinario lo revisaba, Fred lloraba: "Si hubiera prestado atención, no me habría chocado con el cuerno del toro". Y Oso ladraba: "Si hubieras prestado atención, no habrías tenido este accidente".

Los dos se lamentaban diciendo cosas como: "Si esto te hubiera pasado a ti, yo te habría llevado al mejor médico de Pamplona" y "Si no tuviera un dueño tan distraído, estaríamos dando un paseo en lugar de estar en la veterinaria" y "Si no me hubiera hecho tantas preguntas tontas, no habría estado distraído y el toro no me habría chocado" y "Si no hubiera estado leyendo la guía turística, no se habría distraído". Mientras tanto, el veterinario continuaba su trabajo.

Finalmente, les dijo que Fred necesitaba relajarse y por eso era necesario darle una inyección: "Tendré que darte una inyección si no te relajas". Cuando trajo la aguja, Fred se desmayó otra vez y se cayó en el suelo. Oso ladró 5 veces, diciendo: "Si me diera esa inyección, mi trasero me dolería durante 38 días. Si esa inyección fuera la única solución para mi dolor de cabeza, preferiría el dolor de cabeza a la aguja". La aguja era una aguja enorme- era la aguja que usualmente le ponen a los toros. Cuando Fred se despertó, le dolían la cabeza y el trasero, y aún no tenía dinero para pagar al veterinario.

[1]he pretended not to be paying attention

¿Quién lo diría?

√ Lee las siguientes citas y determina quién lo diría, Oso o Fred.

1. "Si esto te hubiera pasado a ti, yo te habría llevado al mejor médico de Pamplona".

2. "Si hubieras tenido dinero, habría podido llevarte al mejor médico de Pamplona".

3. "Si no tuviera un dueño tan distraído, estaríamos dando un paseo en lugar de estar en la veterinaria".

4. "Si no me hubiera hecho tantas preguntas tontas, no habría estado distraído y el toro no me habría chocado".

5. "Si no hubiera estado leyendo la guía turística, no me habría distraído".

6. "Si no hubieras sudado tanto, el toro no se habría resbalado ni te habría chocado".

7. "Si no hubiera traído una aguja tan grande, no me habría desmayado".

8. "Si hubiéramos sabido que los toros iban a perseguirnos, no habríamos dado un paseo".

√ Termina las siguiente frases con tus propias ideas.

1. Si yo hubiera sabido que el examen sería tan difícil, yo...

2. Si mis padres hubieran sabido que saqué una nota muy mala en la clase de español,...

3. Si yo hubiera sabido que habría mucha comida deliciosa en la fiesta, ...

4. Si mi profesor(a) hubiera sabido que estudié cuatro horas para el examen, él (ella)...

5. Si mis padres hubieran sabido que anoche manejé como un loco, ...

Una Entrevista

√ **Si fueras un reportero que trata de impresionar a los jefes de la revista Time®, ¿qué les preguntarías a Oso y a Fred para hacer una entrevista interesante? Inventa seis preguntas como si estuvieras investigando lo que les pasó. Todas las preguntas deben estar escritas usando la forma "tú". Tres preguntas deben estar dirigidas a Fred y tres a Oso, el perro.**

1.

2.

3.

4.

5.

6.

√ **Escribe V (verdadero) o F (falso) según el cuento.**

_____ 1. Fred era de Estados Unidos.

_____ 2. Fred fue con su oso.

_____ 3. A él le gustaba comer las Pamplonas.

_____ 4. Mientras daban un paseo, Fred se dio cuenta de que estaba en peligro.

_____ 5. Un toro se resbaló con un plátano.

_____ 6. Oso sufrió una herida muy grave.

_____ 7. El médico no lo atendió porque no tenía seguro médico*. (*insurance)

_____ 8. El veterinario atendió a Fred porque pensó que era un mono.

_____ 9. Fred se desmayó de nuevo cuando vio a su perro.

_____ 10. Fred no le tenía que pagar al veterinario.

Versión #2 de 'El encierro peligroso'

√ **Ayuda a Oso a contarle a Fred lo que le pasó. Completa los espacios en blanco con las siguientes palabras.**

te desmayaste	**te llevé**	**te despertaste**	**sudabas**
leías	**dijiste**	**te diste cuenta**	**te relajaste**
te quedabas	**bajaste**	**sufriste**	**te dijo**
te caíste	**tenías**	**tratabas**	

Cuando Fred se despertó, le dolían la cabeza y el trasero. Se levantó y le preguntó a su perro, *"Oso, ¡¿Qué pasó?! ¿Dónde estoy?"* porque él no recordaba nada. Entonces su perro le contó todo:

Fred, tú estás de vacaciones en España. **(1)**______ ______________ en una pensión pequeña en la calle principal de la ciudad de Pamplona. Hoy, cuando **(2)**______ ____________, me agarraste y **(3)** ____________ a la calle. Hacía un buen día para dar un paseo y me **(4)**______________ que querías ver los edificios, la universidad y los parques. Mientras dabas un paseo, no prestabas atención. **(5)**____________ tu guía turística y estabas distraído. Nunca **(6)**______ ______ ______________ de que estabas en peligro. De repente, muchos hombres corrieron rápidamente hacia nosotros. ¡Qué susto! **(7)**______ ______________ durante dos segundos cuando de repente muchos toros corrieron por la calle tras los hombres.

(8)______________ muchísimo mientras **(9)**______________ de protegerme y te doy las gracias por eso. Pues, uno de los toros resbaló con un plátano que estaba en la calle y te pegó con el cuerno. **(10)**______________ una herida muy grave en el trasero. Cuando miraste la sangre que salía de tu herida, **(11)**______ ________________.

Yo ladré porque me preocupé por ti. Sin pensar, te recogí y **(12)**______ ____________ a un médico. El médico se negó a ayudarte porque no tenías dinero, así que te llevé a un veterinario. El veterinario **(13)**______ ____________ que era necesario darte una inyección. Sólo tenía una aguja grande porque usualmente se las ponía a los toros. Pero cuando la miraste, **(14)**______ ______________ en el suelo y te desmayaste de nuevo. Cuando te despertaste, te dolían la cabeza y el trasero y aún no **(15)**______________ dinero para pagar al veterinario.

Lectura cultural

El encierro

El Encierro es el evento más famoso de la Fiesta de San Fermín. Celebrado desde el 7 de julio hasta el 14 del mismo mes, es conocido en inglés como "The Running of the Bulls". Durante el Encierro, los toros corren libres por las calles, pero no corren solos. ¡Gente, la mayoría hombres jóvenes, corren adelante de los toros! Llevan pañuelos rojos para atraer al toro; se los **atan**[1] al cuello, en el brazo o en la cintura, y los toros los persiguen. ¡Qué peligro! Los toros pesan más de 600 kilos, y no te olvides, ¡tienen cuernos **filosos**[2]! La gente corre media milla (800 metros) guiando a los toros a la plaza de toros donde los toreros los esperan.

La tradición empezó hace mucho tiempo, antes de la época de los coches. La gente se divertía tanto que hoy día sigue guiando a los toros a la plaza a pie. Muchas organizaciones de protección de animales están en contra de este evento por considerarlo sangriento y cruel, tanto para los toros como para los que corren delante de ellos.

El Encierro empieza a las ocho de la mañana. Los corredores se juntan en la línea de partida y honran al San Fermín. Todos cantan: *"A San Fermín pedimos, por ser nuestro patrón, nos guíe en el encierro dándonos su bendición".* Las calles están cerradas y **cercas**[3] (o barreras) dobles puestas por toda la ruta. Las cercas están dobladas para que la gente pueda saltar por la primera para escapar de los toros. También si un corredor necesita **primeros auxilios**[4], lo encuentra en el espacio entre las dos cercas. Los corredores empiezan antes que los toros. Pero los toros corren como el diablo y pronto alcanzan a los corredores. En ese momento el corredor se da cuenta de dos peligros- No sólo tiene que evitar a los toros, sino a los otros corredores también. Cada año, la gente sufre heridas, algunas graves y otras fatales.

[1]tie [2]sharp [3]fences [4]first aid

√ **Contesta las siguientes preguntas sobre la lectura cultural.**

1. Si tuvieras la oportunidad de participar en el Encierro, ¿lo harías? Explica por qué sí o por qué no.

2. ¿Cuál es tu opinión del Encierro? ¿Lo consideras sangriento y cruel o fascinante y divertido? Explícalo.

3. ¿Qué eventos hay en los EEUU que generen debates similares a los producidos por el Encierro en cuanto al maltrato de los animales y a los riesgos que corre el público?

Capítulo dos:
El cocinero fracasado

Mini-cuento A

tendré éxito / tenía éxito

un fracaso total

buscará una nueva receta

tratará otra vez

el cocinero irá

se sintió aliviado

Mini-cuento B

derramó/derramará

trajo/traerá

lo despidió/despedirá

puso/pondrá

si estuviera en tu lugar, yo...

no beberé

Mini-cuento C

se sentía mejor /
se sentirá mejor

tomó / tomará
un tazón de caldo

tenía la gripe

tendrás que...

según el médico

no le gustaba el sabor

Mini-cuento D

si calentara (mi gorra), yo no
tendría tanto frío

empezó a oler

la metió en el microondas

calentó la gorra

si hubiera puesto..., se habría
calentado más

te quemarás / se quemó

Mini-cuento A

el cocinero (irá)	tenía éxito / tendré éxito	un fracaso total
se sintió aliviado	buscaré una nueva receta	trataré otra vez

Había un cocinero que trabajaba en Wendy's. Este cocinero era un cocinero muy optimista. No tenía éxito como cocinero, pero nunca pensaba en cambiar de ocupación, a pesar de que era un fracaso total. El cocinero buscaba nuevas recetas, pero sus platos -especialmente sus hamburguesas- eran un fracaso total. Sin embargo, cada vez que encontraba una receta nueva, se sentía aliviado porque pensaba que ésa era una nueva oportunidad. Cuando se sentía aliviado, cantaba: "Trataré otra vez. Esta vez tendré éxito e iré al restaurante más famoso del mundo". Obviamente, nunca tenía éxito.

Hacía unos meses que trataba de preparar una hamburguesa deliciosa, pero nunca tenía éxito. Cada día buscaba una nueva receta. Cuando la encontraba, se sentía aliviado porque pensaba que con esa receta iba a tener éxito. Por eso, decía: "Con esta receta, tendré éxito e iré al restaurante de hamburguesas más famoso del mundo", pero sus hamburguesas siempre eran un fracaso total. Por suerte, o por desgracia, el cocinero seguía tratando y siempre buscaba nuevas recetas de hamburguesas. Cada vez que trataba y fracasaba, decía: "Trataré otra vez. Buscaré una nueva receta, tendré éxito e iré al restaurante más famoso del mundo".

Todos los otros cocineros se reían de sus problemas. Ellos tenían éxito en las recetas que preparaban. Por eso, cuando escuchaban al cocinero sin éxito decir: "Trataré otra vez. Buscaré una nueva receta, tendré éxito e iré al restaurante más famoso del mundo", se reían y se burlaban. A veces, los cocineros repetían cantando: "Trataré otra vez. Buscaré una nueva receta, tendré éxito e iré al restaurante más famoso del mundo".

Un día, el cocinero decidió dejar su trabajo en Wendy's y se fue a Burger King. El dueño de Burger King le ordenó preparar un Whopper. El cocinero buscó la receta del Whopper, diciendo: "A todos les gusta el Whopper. No me puede salir mal. Buscaré la receta y esta vez tendré éxito", pero el cocinero no encontraba la receta. Buscó la receta durante dos horas. Finalmente, la encontró y se sintió aliviado: La receta era muy fácil. Aliviado y contento hizo un Whopper. Mientras hacía el Whopper, decía: "Tendré éxito con esta receta". Finalmente, el Whopper estuvo listo. El cocinero lo miró y se puso muy triste: el Whopper era un fracaso total; parecía una pizza en lugar de una hamburguesa. Pero el cocinero era optimista y no le asustaban los fracasos totales. Así que dijo: "Trataré otra vez. Buscaré la receta para el Whopper Premium y tendré éxito".

El cocinero buscó la receta para el Whopper Premium y se sintió aliviado cuando la encontró. Entonces, preparó un Whopper Premium. Cuando el Whopper estuvo listo, el cocinero lo miró y se sintió aliviado: El Whopper Premium no parecía una pizza sino que parecía un Whopper Premium. Así que el cocinero dijo: "Este Whopper no es un fracaso total y yo no soy un fracaso total. Con este Whopper tendré éxito e iré al restaurante más famoso del mundo". Contento y aliviado, el cocinero le dio el Whopper a un cliente, pero el Whopper era un fracaso total y el cliente se fue enojado.

El cocinero sin éxito decidió tratar en otro país. Por eso, fue a un restaurante elegante en Londres, Inglaterra. En el restaurante, el dueño le dio una complicada receta de hamburguesas. Cuando la vio, el cocinero no se sintió aliviado. Por el contrario, se puso muy nervioso porque quería tener éxito. Mientras preparaba la receta el cocinero estaba muy nervioso y no decía: "Tendré éxito con esta receta", ni "Iré al restaurante de hamburguesas más famoso del mundo". Después de tantos fracasos, el cocinero estaba tan nervioso que le temblaban las manos. Despacio, hizo una hamburguesa. Sirvió la hamburguesa al dueño y esperó. Al dueño le gustó la hamburguesa. ¡El cocinero se sintió muy aliviado!

Entrevista

√ Un periodista de la revista boliviana "Correveydile", que viajaba por el mundo entrevistando cocineros internacionales, fue a Londres y conversó con Ramón. Después publicó esa entrevista. Contesta las preguntas como si fueras el cocinero:

Periodista: ¿Es difícil ser cocinero?

Ramón:

Periodista: ¿Alguna vez te has sentido un fracaso total?

Ramón:

¡Cuánto me cuentas!

Periodista: ¿Sientes que has tenido más éxitos que fracasos o más fracasos que éxitos?

Ramón:

Periodista: ¿Cuántas veces seguiste una receta y el plato fue un fracaso?

Ramón:

Periodista: ¿Qué decías después: "Trataré otra vez" o "Buscaré una nueva receta"?

Ramón:

Periodista: ¿Por qué viniste a Londres?

Ramón:

Periodista: ¿Aún te sientes fracasado?

Ramón:

Periodista: ¿Adónde irás si no tienes éxito en Londres?

Ramón:

Periodista: Una pregunta más. Si pudieras cocinar para cualquier persona, ¿para quién cocinarías? ¿Por qué?

Ramón:

Da tu opinión

√ Contesta como si fueras el cocinero. Explícalo.

1. Si no tuvieras éxito en Londres, ¿te irías a otro país o cambiarías de profesión?

2. Si un periodista te entrevistara, ¿de qué hablarías más, de tus fracasos o de tus éxitos?

3. Si pudieras ser cocinero o profesor de español, ¿cuál profesión elegirías? ¿Por qué?

Mini-lectura cultural: Escuela de cocineros

Desde hace algunos años las escuelas que enseñan cocina son muy populares entre mujeres, hombres y jóvenes a los que les gusta cocinar. En las escuelas de cocineros se enseñan técnicas y conocimientos para preparar recetas atractivas, sabrosas y saludables.

Muchas personas van a las escuelas de cocineros pensando que son un fracaso total en la cocina pero cuando aprenden, siguiendo las recetas y técnicas especiales, se sienten ali-viadas porque se dan cuenta de que pueden cocinar ricos y hasta **novedosos**[1] y exóticos platos. Otros, buscando nuevas recetas e ingredientes, llegan a crear platos famosos.

Un reconocido cocinero argentino, ya fallecido, "Gato" Dumas cambió su carrera de Arquitectura por la cocina que tanto le gustaba desde chico. **Se destacó**[2] por sus abundantes platos y fue uno de los primeros en incorporar novedosos ingredientes en las comidas.

El Gato Dumas tuvo mucho éxito y fue dueño de varios restaurantes. Aunque la televisión no le gustaba demasiado, igualmente enseñó a cocinar en varios programas. El "Gato" Dumas llevó sus conocimientos a muchos países de América Latina y actualmente en Uruguay, Colombia y Argentina hay escuelas de cocineros que llevan su nombre. En estas escuelas muchos eligen estudiar y aprender "el arte de la cocina", como él mismo definió a la preparación de comidas.

[1]**new, novel** [2]**highlighted, emphasized, known for**

√ Contesta las siguientes preguntas.

1. ¿Cuál es tu plato favorito para comer? ¿Cuál es tu plato favorito para cocinar?

2. Describe el plato más exótico que hayas probado. ¿Dónde lo comiste? ¿Quién lo preparó?

3. Si tuvieras la oportunidad de asistir a clases de cocina, ¿qué tipo de comida preferirías cocinar? ¿Por qué?

4. ¿Cuáles de estos comentarios pudieron haber sido hechos por el Gato Dumas? ¿Por qué?

   a.) No seguiré esta receta. Inventaré una nueva.

   b.) Iré a la televisión y seré famoso.

   c.) No tendré éxito en la televisión.

   d.) Cuando termine la escuela, tendré mi propio restaurante.

   e.) Abriré una escuela de cocineros.

   f.) Cocinaré sólo en restaurantes de mi país.

Carta I

√ **Antes de irse para Londres, Ramón, el cocinero, estaba muy deprimido y escribió una carta a su madre. Completa los espacios en blanco con palabras de esta lista:**

~~tendré éxito~~ ~~un cocinero~~ iré ~~un fracaso total~~ ~~trabajaré~~

Querida Mamá:

¿Cómo estás? Ojalá que todo esté muy bien en la casa. Nada está bien aquí. Soy (1) un fracaso total*. Quiero ser (2)* un cocinero *famoso, pero nunca seré famoso ni (3)* trabajaré *en restaurantes famosos. (4)* Iré *a otro país. ¿Piensas que (5)* tendré éxito *en otro lugar?*

Antes de irme, necesito tu consejo. ¿Qué debo hacer?

Con cariño.

Ramón

Carta II: Da tu opinión

√ **Imagina que eres la madre de Ramón y completa los espacios en blanco con tus propias ideas para responder su carta.**

Querido hijo:

Recibí tu carta y me puse (6) triste *al leerla. No hables así. Nada de lo que escribiste es verdad. Estoy segura de que algún día serás (7)* un cocinero famoso*. Irás a (8)* Italia *y (9)* tendrás éxito*. Debes (10)* de buscarás para nuevas recitas

Te quiero.

Mamá

Versión #2 del Mini-cuento A

√ Escribe el significado de cada frase en inglés. Después, supone que eres un adivino(a) que tiene que predecir el futuro de Coco, el peor cocinero del país. Completa los espacios en blanco con tus propias ideas. (Puedes usar la lista para ayudarte).

irá - ______________________	**hará -** ______________________
tendrá éxito -______________________	**ganará -** ______________________
fracasará - ______________________	**tratará de -** ______________________
tendrá que...- ______________________	**buscará -** ______________________

Coco no será el peor cocinero del país toda su vida. (1) ____________ a Pompeya, donde encontrará una escuela de (2) ________________. Allí estudiará (3) ________________ y decidirá (4)____. Luego, irá a (5)____________________. Buscará un(a) (6) ________________. Lo/la encontrará y dirá: (7)" ¡______________________________________!". Tratará de hacer un(a) (8) ________________________ y se sentirá (9) ____________________ porque (10) __________________________. Por fin, irá a (11) __________________________ y buscará otro(a) (12) ____________________. Lo (la) encontrará y tratará de hacer un(a) (13)____________________. Lo (la) hará muy bien, y un hombre importante dirá: (14)"¡______________________________!". Entonces, será muy famoso porque (15) ____.

Mini-cuento B

derramó / derramaré	**trajo / traerá**	**lo despidió / lo despedirá**
puso / pondré	**no beberé**	**si estuviera en tu lugar, yo no...**

Había un camarero que tenía un problema. En general, era un buen camarero, pero cuando bebía jugo[1] de tomate con agua, sufría de los nervios. Cuando sufría de nervios, temblaba mucho y derramaba todas las bebidas que llevaba. Al camarero le encantaba beber jugo de tomate con agua, y cuando veía las dos bebidas, no podía resistirse. Por más que repetía: "No beberé, no beberé, no beberé", no podía resistirse. Obviamente, después se ponía nervioso, temblaba como un loco y, por más que repetía: "No temblaré, no temblaré, y no derramaré esta bebida", temblaba como una hoja y derramaba las bebidas. Los clientes se enojaban y le decían: "Como camarero, eres un fracaso total. No te dejaremos propina".

Un día, mi novio y yo entramos en el restaurante y nos sentamos en una mesa. Yo pedí un jugo de tomate con agua. El camarero mezcló jugo de tomate con agua y dijo: "No beberé, no beberé, no beberé". El jefe lo escuchó y le dijo: "Si bebes jugo de tomate con agua, te pondrás nervioso, temblarás y derramarás las bebidas. Los clientes se enojarán y no te dejarán propina. Más aún, te despediré". De todos modos, el camarero bebió un poco y pensó: "No me pondré nervioso, ni temblaré. Si no tiemblo, no derramaré el jugo de tomate". Como no se puso nervioso, bebió un poco más y dijo: "No me pondré nervioso, ni temblaré. Si no tiemblo, no derramaré el jugo de tomate".

Después me trajo el jugo de tomate a la mesa, me sirvió el jugo de tomate y me dijo: "Si estuviera en tu lugar, yo no bebería jugo de tomate con agua". Cuando puso el jugo de tomate con agua en la mesa, empezó a temblar y, por más que repetía: "No me pondré nervioso, ni temblaré. No derramaré el jugo de tomate y mi jefe no me despedirá", derramó todo el jugo de tomate encima de mis piernas. El camarero empezó a limpiarme las piernas con una toalla. Enojado, mi novio le dijo: "Si estuviera en tu lugar, no la tocaría", pero el camarero siguió limpiando. Mi novio se enojó muchísimo y se negó a darle una propina al camarero, diciendo: "Como camarero, eres un fracaso total. No te dejaré ni un centavo de propina. Hablaré con tu jefe, y él te despedirá". Después, habló con el dueño del restaurante, y el dueño despidió al pobre camarero.

Yo me enojé muchísimo con mi novio. Cuando el dueño despidió al camarero, mi novio y yo tuvimos una discusión muy fuerte, y mi novio se fue. Triste y enojada, comencé a llorar. El camarero salió del restaurante. Como estaba preocupada por él, me olvidé de mi novio y dejé de llorar. Le dije al camarero: "Si yo estuviera en tu lugar no tocaría un jugo de tomate nunca más". El me respondió: "No beberé jugo de tomate con agua nunca más. Le prometo que no beberé ni un poquito, y nunca más me pondré nervioso ni derramaré la bebida".

El dueño lo escuchó y se dio cuenta de que el camarero era sincero y decidió darle otra oportunidad. Entonces, le dijo: "Tendrás otra oportunidad, pero UNA SOLA. Si estuviera en tu lugar, no bebería ni un poquito de jugo de tomate con agua. Si estuviera en tu lugar, no tocaría jugo de tomate con agua ni por mil pesos".

Cuando escuché que el dueño no lo había despedido, me sentí aliviada y decidí irme a casa. El camarero me acompañó y al llegar a mi calle, vimos a mi novio esperándome en la puerta con un vaso de mi bebida favorita: jugo de tomate con agua. El camarero me miró y me dijo: "No te preocupes. No beberé ni un poquito", pero yo no le creí porque lo vi sudar como loco. Enojado, mi novio le gritó: "Si estuviera en tu lugar, no bebería ni un poquito de este jugo de tomate". Mi novio me trajo el vaso y lo puso en mis manos. Esta vez, yo repetí: "Si estuviera en tu lugar, no bebería ni un poquito de este jugo de tomate. Resiste. Resiste". Inmediatamente, el camarero salió corriendo y nunca más lo volví a ver.

[1] **juice**

Versión #2 del Mini-cuento B: La historia continúa

Un mes después del incidente, Juan -el camarero- se encontró con un amigo, a quien no había visto durante mucho tiempo. Juan le contó a su amigo esta historia:

Yo era camarero, pero un día decidí que no era un trabajo para mí a causa de mi problema. Un día mi jefe casi me despidió porque derramé jugo de tomate en las piernas de una cliente. Mi jefe era un buen hombre y me habló muy calmado para que reflexionara, diciendo: "Cuando entró la pareja, te pusiste muy nervioso y comenzaste a temblar. Una persona que tiembla tanto no puede ser camarero". Yo necesitaba el trabajo y le pedí otra oportunidad. Le dije: "Señor, ese día yo no estaba nervioso sino que temblaba porque había bebido jugo de tomate con agua, y esa bebida me hace temblar". Él me respondió: "Te daré otra oportunidad, pero no debes beber jugo de tomate nunca más". Yo prometí no beber más, pero más tarde estuve a punto de beber jugo de tomate. Por eso decidí salir corriendo y...

Da tu opinión

1. ¿Adónde fue Juan cuando salió corriendo?

2. ¿Por qué no lo vio más la chica?

3. ¿Siguió Juan siendo camarero o cambió de profesión?

4. ¿Continuó Juan trabajando en el restaurante?

El relato de Juan

√ Escribe un mínimo de 200 palabras acerca de lo que le pasó a Juan cuando salió corriendo. Ten en cuenta tus respuestas en la actividad anterior.

✓ **Supone que eres el mesero del cuento y quieres conseguir trabajo en otro restaurante. Para hacer una solicitud de empleo tienes que contestar las siguientes preguntas.**

1. Cuéntame acerca de tus empleos anteriores.

2. ¿Por qué saliste de tus otros empleos?

3. Cuéntame acerca de tus virtudes y defectos.

4. ¿Has sufrido* (o sufres ahora) de cualquier problema médico o psicológico?

5. ¿Por qué quieres trabajar en mi restaurante?

6. ¿Puedo llamar a tu jefe anterior?

Mini-lectura cultural: Los bares

En España, los bares son un popular fenómeno social que marcan la cultura y las costumbres de este país. Los bares son lugares de encuentro y reunión informal. Es común que todo pueblo, barrio o incluso cada calle importante de una ciudad tenga uno o más bares que son visitados de forma habitual por muchas personas para beber, comer y encontrarse con amigos.

En los bares hay una barra o **mostrador**[1] en donde el camarero sirve a los clientes lo que deseen beber. Algunos clientes piden bebidas con alcohol, pero muchos están cansados de trabajar y a la noche pasan por el bar y sólo beben café o Coca-Cola. A veces los camareros hacen un show mientras preparan las bebidas y más de uno alguna vez derramó un vaso sobre algún cliente. En general, nadie se enoja si ocurre un accidente. Muchos dicen: "Si un camarero derramara un vaso sobre mis pantalones, yo no me enojaría porque el clima del lugar es de diversión".

En Barcelona, desde hace algunos años, y en el sur de España, desde hace más tiempo, se dice que "se sale de tapas" o **"se toman unas tapitas**[2]". Las tapas se sirven en los bares y son pequeños bocados de deliciosa comida. Generalmente se acompañan con **vino, gaseosa o cerveza**[3]. En Andalucía, a veces, las tapitas son traídas por el camarero sin que las pidan, mientras que en Barcelona se pagan. Eso sí, los viernes por la noche, la mayoría de los clientes bebe un buen vino con unas ricas tapas.

[1]**counter** [2]**go out for a snack** [3]**wine, coke or beer**

Para más información acerca de los bares de España, visita los siguientes sitios de Internet:
www.clarin.com -- www.wikipedia.com -- www.tourismінbarcelona.blogspot

√ Contesta las siguientes preguntas acerca de la lectura cultural.

1. Si pudieras salir de tapas a cualquier lugar, ¿adónde irías?

2. ¿Te gustaría salir de tapas? Explícalo.

3. ¿Te enojarías si un camarero derramara un vaso sobre ti mientras hace un show? Explícalo.

Da tu opinión

√ Si hubieras visitado España hace 2 años, ¿cuáles de las actividades de la lectura habrías hecho y cuáles no? Haz una lista y explica por qué.

Ejemplo

Yo habría...	Yo no habría...
visitado un bar (porque es interesante)	tomado alcohol (porque soy menor)

____

____

____

____

____

¿Qué dijeron?

√ Lee los siguientes comentarios y cópialos debajo de la situación correspondiente.

a.) Beberé esto tan rápido como pueda.
b.) Si derramas una gota, te despediré.
c.) No trates porque no tendrás éxito.
d.) No lo haré ni por mil dólares.
e.) Te pondré una de éstas y te sentirás aliviado.

Situación 1
Un médico que trata de poner una inyección gigante a un paciente asustado.

Situación 2
Un científico con un invento carísimo a su asistente.

Situación 3
Un chico que tiene que tomar un líquido horrible.

Situación 4
Una actriz celosa a otra actriz nueva.

Situación 5
Un chico que tiene que dar un examen un domingo.

Prueba de Personalidad

√ **Elige la respuesta más similar a la tuya.**

1. Cuando algo no te sale bien, ¿qué dices?
   a) Trataré otra vez y tal vez tendré éxito.
   b) Seguramente tendré éxito la próxima vez.
   c) Soy un fracaso total.

2. Si no te gusta como tú (o tu familia) prepara una comida, ¿qué haces?
   a) Dices: "Buscaré una nueva receta" y tratas de buscarla, pero no te preocupas mucho si no la encuentras.
   b) Buscas una nueva receta hasta que la encuentras.
   c) No comes más esa comida porque piensas que es la única forma de prepararla.

3. Si ves un instrumento musical que te atrae y alguien te dice: "Es muy difícil de tocar. Yo, en tu lugar, no lo intentaría", ¿qué haces?
   a) Eliges un instrumento más fácil para empezar. Piensas que tal vez tratarás de tocar el instrumento difícil en el futuro.
   b) Tratas de tocar ese instrumento y pides ayuda hasta que lo logras.
   c) Eliges un instrumento más fácil. Es mejor no complicarse.

4. A un amigo tuyo le gusta una chica y quiere invitarla a salir. La chica es muy tímida y no habla con nadie. ¿Qué consejo le das a tu amigo?
   a) Si estuviera en tu lugar, primero trataría de hablarle y ver si está interesada en ti.
   b) Si estuviera en tu lugar, la invitaría. Si está interesada, saldrá contigo.
   c) Si estuviera en tu lugar, no la invitaría. Seguramente, te dirá que no y fracasarás.

Analiza tus respuestas

Si la mayoría de tus respuestas son a), tienes una buena actitud, pero necesitas ser más decidido.

Si la mayoría de tus respuestas son b), eres muy decidido, pero a veces es mejor ser cuidadoso.

Si la mayoría de tus respuestas son c), tu autoestima está muy baja. Tienes que ser más positivo.

Mini-cuento C

se sentía mejor / se sentirá mejor	tomó / tomará un tazón de caldo
tenía la gripe	tendrás que...
según el médico	no le gustaba el sabor

Roberto se sentía enfermo. Tenía fiebre y dolor de cabeza. Llamó a su madre y le dijo: Mamá, he tenido fiebre y dolor de cabeza durante dos días y todavía no me siento bien. ¿Qué debo hacer?". Según su madre, Roberto tenía la gripe. Por eso, le dijo: "Tendrás que tomar un tazón de caldo de pollo". Para la madre de Roberto, el mejor remedio para la gripe era un tazón de caldo de pollo. A Roberto no le gustaba el sabor del caldo de pollo, por eso no hizo caso a su madre y decidió ir al médico.

Roberto hizo una cita con el médico y fue al consultorio. En el consultorio, le explicó sus síntomas al médico: "Tengo fiebre y dolor de cabeza. Creo que tengo la gripe". Según el médico, el muchacho tenía la gripe y necesitaba tomar un tazón de caldo de pollo. El muchacho quería sentirse mejor, pero no le gustaba el sabor del caldo de pollo, así que le dijo: "A mí no me gusta el sabor del caldo de pollo. No tomaré el tazón de caldo porque es repulsivo. Tendrá que darme otro remedio para la gripe". El médico le explicó: "Si tomas el tazón de caldo, te sentirás mejor. A mí tampoco me gusta el sabor de algunos remedios, pero igual los tomo porque después me siento mejor. No hay otro remedio, tendrás que tomar el caldo de pollo". Según el médico, el mejor remedio para la gripe era un tazón de caldo de pollo.

Cuando llegó a su casa, Roberto no tomó un tazón de caldo de pollo sino que le dijo a su madre: "Según el médico, tengo la gripe. Como no me gusta el sabor del caldo de pollo, tomaré un tazón de caldo de verdura y me sentiré mejor". Obviamente, Roberto no se sintió mejor sino que se sintió peor. Por eso, pensó: "Tendré que ir a otro médico", y así fue al consultorio de otro médico, y le dijo: "Tengo gripe y no me gusta el sabor del caldo de pollo. Tendrá que darme otro remedio y así me sentiré mejor". El segundo médico le dijo: "La única solución para la gripe es tomar un tazón de caldo de pollo. No hay otro remedio. Tendrás que tomar un tazón de caldo de pollo. Si tomas un tazón de caldo, te sentirás mejor". Según el segundo médico, el mejor remedio para la gripe era un tazón de caldo de pollo.

El muchacho se fue muy triste, pero pensó: "Tendré que tomar el caldo aunque no me guste el sabor porque así me sentiré mejor". Entonces, fue a un restaurante, compró un tazón de caldo y bebió un poco. Al instante, tuvo náuseas. Realmente, el caldo de pollo era repulsivo. A Roberto no le gustaba el sabor de caldo de pollo para nada. Roberto esperó unos minutos. Después, bebió otro poco de caldo de pollo y no se sintió mejor. Roberto se sintió mareado. Tan mareado estaba que se cayó en el suelo y dejó caer el tazón de caldo de pollo. El tazón se rompió y el caldo se derramó encima de Roberto. Afortunadamente, Roberto no se quemó con el caldo porque el caldo no estaba muy caliente. Inmediatamente, Roberto se sintió mejor. Entonces, ¡el muchacho tuvo una idea! Fue al mismo restaurante y compró 150 tazones de caldo de pollo. Echó todo el caldo de pollo en la bañera y se metió en el caldo de pollo. Mientras se bañaba, se sintió mucho mejor. ¡Estaba muy agradecido con los dos médicos aunque olió a caldo de pollo durante una semana! Finalmente, Roberto se dio cuenta de que el mejor remedio para la gripe es un tazón de caldo de pollo.

Mini-lectura cultural: Remedios caseros

Los remedios caseros o "remedios de la abuela" existen desde hace mucho tiempo. En Latinoamérica hay gran cantidad de plantas, algunas exóticas, de donde se sacan sustancias para preparar remedios caseros. También hay recetas familiares, que las madres y abuelas utilizan antes de recurrir al médico. Estos son algunos de estos remedios:

- Un tazón de caldo de pollo es un remedio popular para la gripe en todos los países latinoamericanos.
- En Chile, cuando los niños se golpean la cabeza, rápidamente se les pone un trozo de carne fresca.
- En varios países, cuando duelen los oídos lo mejor es colocar un cono de papel encendido en el oído que duele.
- Si hay quemaduras de sol, los argentinos y los uruguayos se ponen **rodajas**[1] de pepino o papas frescas sobre la piel.
- En España se llama "adelgazar la sangre" al remedio que se usa para bajar la presión sanguínea. Este remedio es en realidad un té de una hierba que se llama "cola de caballo".
- En Colombia, una enfermedad en la piel oscura producida por el sol se cura con miel y limón.

Una curiosidad en varios países latinoamericanos es que nunca falta en la familia alguien que sepa las "palabras que curan" males como el **"mal de ojos"**[2], el **"empacho"**[3], las quemaduras y las **verrugas**[4]. Las palabras son secretas y, por lo general, sólo pueden ser enseñadas a la medianoche del 24 de diciembre. Los resultados de la curación son, en casi todos los casos, mágicos.

¡Cuánto me cuentas!

Los remedios caseros reúnen naturaleza y costumbres. Algunos remedios son muy útiles, especialmente si se necesita una solución rápida. Otros son muy curiosos. En cualquier caso, siempre es mejor consultar a un médico. Sin embargo, cuando falta un médico, hay que preguntarles a nuestras abuelas.

[1]slices [2]evil eye [3]bloated (stomach, liver) [4]warts

Para más información acerca de los remedios caseros, visita los siguientes sitios de Internet: www.ociototal.com; www.consejocasero.com

Versión #2 del Mini-cuento C: La historia continúa

√ Termina la historia como si fueras el muchacho. Incluye en tu relato el vocabulario siguiente y contesta las preguntas exactamente como figuran a continuación:

¡¿Te metiste en una bañera de caldo de pollo?!
¿Por qué no te metiste en una bañera de...?
¿Por qué no fuiste a...?
¿Cuánto te costó...?
Compraste
¡Qué susto!
el plátano

Después de meterme en el caldo de pollo, me sentí mucho mejor. Aunque olía a caldo, estaba muy agradecido con el médico porque tenía una cita con una chica guapísima. Fui a recoger a la muchacha y cuando ella abrió la puerta...

¿Quién dice?

√ Lee las siguientes recomendaciones.

a.) Decide quién da recomendaciones como estas generalmente.

b.) Piensa en una situación para cada una de estas recomendaciones.

c.) Elige dos recomendaciones y escribe un diálogo de 2 o 3 líneas utilizando cada recomendación y una respuesta posible.

1. Tendrás que estudiar más si quieres sacarte una 'A'.

   a.)

   b.)

2. Tendrás que llamarme si quieres salir conmigo.

   a.)

   b.)

3. Tendrás que tomar mucho caldo de pollo si quieres ser fuerte.

   a.)

   b.)

4. Tendrás que dejarme usar la computadora.

   a.)

   b.)

1. ____

____

____

____

2. ____

____

____

____

____

Mini-cuento D

si calentara (mi gorra), yo no tendría tanto frío	
si hubiera puesto..., se habría calentado más	
te quemarás / se quemó	empezó a oler
la metió en el microondas	calentó la gorra

Tenía una amiga que conocí en Arizona, en Estados Unidos. Mi amiga siempre tenía frío aunque la temperatura es siempre muy alta en Arizona y por eso llevaba una gorra de poliéster todos los días, en verano y en invierno. Sus amigos se reían de la gorra, pero mi amiga les decía: "Si no me pusiera la gorra, tendría muchísimo frío".

Un día, mi amiga estaba temblando en clase de biología. El profesor la vio y le dijo: "Si calentaras un caldo de pollo y lo tomaras, no tendrías tanto frío". Entonces, ella fue a la cocina de la escuela, preparó un caldo de pollo, lo metió en el microondas y lo calentó durante un minuto. Después, tomó un poco, pero todavía tenía frío. La cocinera la vio temblar y le dijo: "Si hubieras puesto el caldo más tiempo, se habría calentado más. Si lo calentaras más y lo tomaras rápidamente, no tendrías tanto frío".

Mi amiga metió el caldo nuevamente en el microondas y lo calentó durante 3 minutos. Cuando lo sacó, el microondas empezó a oler a caldo de pollo, pero mi amiga no le prestó atención y tomó el caldo rápidamente. Cuando tomó el caldo, se quemó la lengua un poco y derramó otro poco de caldo encima de su gorra. La gorra empezó a oler a pollo y mi amiga todavía tenía frío. Como aún temblaba, decidió meter el caldo de pollo nuevamente en el microondas y calentarlo más tiempo. Pensó: "Si hubiera puesto el caldo más tiempo, se habría calentado más. Si calentara más el caldo y lo tomara más rápidamente, no tendría tanto frío. Además, lo tomaré con cuidado y no me quemaré".

Entonces, metió el caldo nuevamente en el microondas y lo calentó durante veinte minutos. El caldo se quemó y el microondas se quemó. Mi amiga tomó un poco de caldo quemado y se quemó la boca y además derramó el caldo encima de sus zapatos. El microondas empezó a oler a pollo, la gorra de mi amiga olía a caldo de pollo, los zapatos de mi amiga empezaron a oler a pollo y toda la cocina de la escuela empezó a oler a pollo. Mi amiga pensó: "Si no hubiera puesto el caldo tanto tiempo, no se habría calentado tanto. Si no hubiera calentado tanto el caldo, yo no me habría quemado". Después, se fue a su casa y metió la gorra y los zapatos en el lavarropas. Cuando sacó la gorra, empezó a oler a caldo de pollo y jabón para ropa.

Mi amiga estaba cansada de tener frío siempre y siempre llevar puesta la gorra, pero no encontraba la solución. Otro día, tenía muchísimo frío y pensó: "Si calentara mi gorra, yo no tendría tanto frío". Pero, ¿cómo calentar la gorra? Después de un rato, vio el microondas y tuvo una idea: "Si metiera la gorra en el microondas, se calentaría". Como mi amiga quería calentar la gorra para no tener tanto frío, la metió dentro del microondas y la calentó durante un minuto. La gorra empezó a oler a jabón para lavar pollos, pero no se calentó lo suficiente. Pensó de nuevo: "Si hubiera puesto la gorra más tiempo, se habría calentado más". Metió la gorra en el microondas durante 10 minutos y cuando la sacó, la gorra empezó a oler a "jabón de pollo". Entonces, la calentó durante 1 hora, y la gorra empezó a oler a perfume de pollo. Pero todavía no estaba muy caliente. Entonces, la metió en el microondas y la calentó un rato más.

Después de un rato, mi amiga empezó a oler a poliéster. ¡La gorra se quemaba! La muchacha sacó la gorra del microondas y se la puso en la cabeza sin escuchar a su madre que le gritaba: "Si te pones algo caliente en la cabeza, te quemarás". La pobre chica se quemó la cabeza. ¡No pudo quitarse la gorra! Para tratar de quitarse la gorra, fue al médico. El médico le dijo: "Si no te hubieras puesto una gorra tan caliente, no te habrías quemado la cabeza. Y si no te hubieras puesto una gorra de poliéster, tu gorra no se habría quemado". Según el médico, la chica necesitaba una gorra de algodón; por eso le dijo: "Si pusieras una gorra de algodón en el microondas, no te quemarías".

Da tu opinión

1. Si siempre tuvieras frío, ¿qué harías para no tenerlo?

2. Si siempre tuvieras calor, ¿qué harías para no tenerlo?

3. Si tu amigo(a) se pusiera una camisa fea, ¿cuál de estas frases le dirías?

    a.) Si tú no te hubieras puesto una camisa tan fea, nosotros habríamos podido salir juntos.

    b.) Si yo hubiera sabido que tú ibas a ponerte esa camisa, yo me habría puesto una camisa fea también.

    c.) Si...

√ Si un amigo te hubiera pedido consejo para una de las siguientes situaciones, ¿qué le habrías dicho? Explica por qué.

a.) Vivo en la Antártida y siempre tengo calor.
____
____

b.) Vivo en la Antártida y siempre tengo frío.
____
____

c.) Metí un tazón de caldo en el microondas y está demasiado caliente para beber.
____
____

Mad Lib

√ Llena los espacios en blanco en una de las versiones a continuación. Pide a tu compañero(a) que llene los espacios en blanco de la otra según lo especificado, para crear una versión libre del Mini-cuento D.

sustantivo singular = singular noun
adverbio = Adverb.
verbo en infinitivo = base form of the verb
adjetivo = adjective
número = number

Versión A

Cuando era chico(a) vivía en ____________________ **(sustantivo singular- lugar)**, que es un lugar muy frío. Siempre tenía frío y, por eso, llevaba puesto(a) un(a) __________ **(sustantivo singular- ropa)** de ______________ **(sustantivo singular - material)** todos los días, en el verano y en el invierno. Un día, yo tenía muchísimo frío y tuve una idea. Quise __________ **(verbo en infinitivo)** el(la) ______________________ **(sustantivo singular - ropa)**. Por eso, lo(la) metí dentro del microondas y lo(la) calenté durante __________ **(número)** minuto(s). Después de un rato, mi cocina empezó a oler a ________________**(sustantivo singular)** y me di cuenta de que mi _____________**(sustantivo singular - ropa)** se quemaba. Entonces, la(lo) saqué del microondas y me lo(la) puse en el(la) ________________ **(sustantivo singular - parte del cuerpo)**. La(El) ________________ **(sustantivo singular - ropa)** estaba tan caliente que me quemaba. Traté de sacármelo(a), pero no pude. Fui ________________ **(adverbio)** al médico. Según el médico, iba a tener que ponerme un(a)________________ **(sustantivo - medicamento o remedio)** en el(la) ________________ **(sustantivo - parte del cuerpo)** durante ____________________ **(número)** día(s).

Versión B

Cuando era chico(a) vivía en ____________________ **(sustantivo singular- lugar)**, que es un lugar muy caluroso. Siempre tenía calor y, por eso, llevaba puesto(a) un(a) __________ **(sustantivo singular- ropa)** de ______________ **(sustantivo singular - material)** todos los días, en el verano y en el invierno. Un día, yo tenía muchísimo calor y tuve una idea. Quise enfriar el(la) ______________________ **(sustantivo singular - ropa)**. Por eso, lo(la) metí dentro del congelador y lo(la) enfrié durante __________ **(número)** día(s). El congelador estaba lleno de ______________ **(sustantivo singular - comida)** y, por eso, cuando saqué mi ______________ **(sustantivo singular, ropa)** empezó a oler a ________________ **(sustantivo singular - comida)**. No me importó mucho porque tenía mucho calor, así que me lo(la) puse en el(la) ________________ **(sustantivo singular - parte del cuerpo)**. La (El) ________________ **(sustantivo singular - ropa)** estaba tan frío(a) y olía tan mal que mi ______________ **(sustantivo singular -parte del cuerpo)** empezó a __________________ **(verbo en infinitivo)**. Traté de sacármelo(a) _____________________________ **(adverbio de tiempo)**, pero no pude. Fui ________________ **(adverbio)** al médico. Según el médico, iba a tener que ponerme un(a)________________ **(sustantivo - medicamento o remedio)** en el(la) ______________**(sustantivo - parte del cuerpo)** durante__________ **(número)** día(s).

Mini-lectura cultural: Los sombreros

El sombrero es una prenda típica en muchos países de Latinoamérica. Hay sombreros de diversos materiales -como **cuero, paja, piel o lana**[1]-, formas y tamaños. Muchos de ellos están realizados artesanalmente, y según el clima del lugar.

En Bolivia y Perú, la tradicional gorra de lana de colores es usada por los habitantes de las sierras, donde la noche es muy fría. Ellos deben taparse las orejas y, por esto, las gorras de esos países cubren las orejas.

El gaucho argentino usaba sombrero o "chambergo", un sombrero más pequeño, para protegerse de la lluvia, el viento o el sol. El sombrero del gaucho está hecho de una especie de lana o pelo de animales.

El charro o sombrero mexicano es una prenda característica pero, curiosamente, no es de origen latinoamericano sino español. Es amplio y de varios colores. Los sombreros mejicanos están adornados, algunos con **semillas**[2] o frutas y otros están bordados.

El sombrero "vueltiao", típico de Colombia, es tan usado que se ha convertido en un símbolo nacional de ese país. También el sombrero panameño o "pinta'o" es un símbolo de Panamá y de Ecuador.

En España, la tradicional **boina**[3] es pequeña y sólo cubre la parte de arriba de la cabeza. Esas boinas también son usadas por muchos campesinos argentinos y uruguayos dedicados al cuidado del ganado.

En la actualidad, pocos jóvenes usan boinas, gorros o sombreros. Sin embargo, algunos hombres se cubren la cabeza con gorras para tapar su falta de cabello. También, algunos jóvenes se cubren la cabeza con un gorro negro, imitando a los raperos norteamericanos.

[1]leather, straw, fur or wool **[2]seeds** **[3]beret**

Visita los siguientes lugares de Internet para más información:
www.eluniverso.com; www.folkloredelnorte.com; www.ewakulak.com

√ Contesta las siguientes preguntas.

1. Si tuvieras que elegir un sombrero para llevar puesto, ¿De qué país elegirías el sombrero? ¿Por qué?

2. ¿Usas tu gorro o sombrero favorito frecuentemente o conoces a alguien que use su sombrero o gorro favorito con frecuencia? Describe a esa persona y cómo es el gorro o sombrero.

3. Si pudieras diseñar un sombrero o una gorra especialmente para _____, ¿cómo lo / la diseñarías?

   a.) ti mismo(a):

   b.) tu profesor de español:

   c.) tu mejor amigo(a):

¿Qué le recomiendas?

√ **Como en otros países, muchos adolescentes latinoamericanos escriben cartas contando problemas y pidiendo consejo. Si pudieras dar consejo a alguna de estas personas, ¿qué recomendarías?**

Sofía (de Bolivia) está enamorada de su ex-novio, a quien dejó por otro chico:	**Tu consejo**
De: Sofía A: Germán Querido Germán: Si pudiera volver el tiempo atrás, te pediría perdón. Yo sé que actué mal y te causé mucho daño. Ahora me arrepiento. Eres el amor de mi vida. Escribo este mail porque no quieres hablarme y has roto mis cartas. ¿Qué puedo hacer para que me perdones? Te amo. Sofi	**Sofía, si yo estuviera en tu lugar,...** a.) seguiría intentando b.) me olvidaría de Germán c.) llamaría a Germán todos los días hasta que hable conmigo d.) otro consejo **Si yo fuera Germán, ...** a.) perdonaría a Sofi b.) no perdonaría a Sofi c.) escucharía a Sofi d.) otro consejo

Julián (de Chile) es hijo único, tiene 15 años y se quiere ir a vivir con sus abuelos:	**Tu consejo**
De: Julián A: mis amigos A quien me pueda ayudar: Mis padres piensan que aún soy un niño. Todos mis amigos salen al centro comercial, pero a mí sólo me dejan salir si me llevan ellos en su auto. Además, me obligan a comer comidas horribles porque dicen que "son sanas". Esta situación me tiene cansado. ¿Qué puedo hacer? Julián	**Respecto del "Centro Comercial": Julián, si yo estuviera en tu lugar,...** a.) me iría a vivir con mis abuelos b.) saldría igual sin permiso c.) pediría a los padres de mis amigos que hablen con mis padres d.) pediría a mis padres hacer terapia de familia **Respecto de las "comidas sanas y horribles": Si mis padres trataran de que yo comiera comidas horribles, ...** a.) vomitaría cada vez b.) les diría que me duele el estómago c.) no comería durante dos días d.) comería todo y no me quejaría

El cocinero fracasado

El cocinero fracasado

1. Al día siguiente, Fred se sintió mucho mejor, pero tenía que pagar la cuenta del veterinario. No tenía dinero porque se le había perdido todo cuando el toro le pegó. Así que buscó trabajo. Entró en un restaurante muy elegante y le dieron empleo como camarero. Fred estaba muy agradecido y quería hacer un buen trabajo.

2. El primer día fue un fracaso total. Una mujer pidió un tazón de caldo de pollo. El tazón estaba muy caliente. Entonces Fred le quitó la gorra al cocinero y puso el tazón dentro de la gorra. Fred le sirvió la sopa a la mujer dentro de la gorra y le dijo muy contento: "Así no te quemarás". La mujer no se quemó pero gritó porque ¡había un pelo del cocinero en la sopa! Fred se puso nervioso cuando la mujer gritó y se le derramó el caldo encima de las piernas de la mujer, que no sólo se quemaron sino que empezaron a oler a caldo. La mujer se fue enojada sin darle una propina, y además le dijo: "Si no hubieras puesto la gorra en mi sopa, yo no habría encontrado un pelo en ella. Además, si no hubieras derramado el caldo, no me habrías quemado las piernas".

3. El dueño del restaurante quería despedir a Fred, pero no despidió a Fred sino que le dijo: "Te daré otra oportunidad. Como camarero eres un fracaso total. Tendrás que trabajar como cocinero". En realidad, el dueño necesitaba un cocinero porque el cocinero del restaurante tenía gripe. Fred llamó a Oso porque no sabía si iba a tener éxito, y Oso le dijo: "Necesitamos el dinero para pagar al veterinario. Además, ser cocinero no es difícil. Estoy seguro de que tendrás mucho éxito. Si estuviera en tu lugar, aceptaría el trabajo". Fred estaba preocupado por su falta de experiencia, pero Oso le aseguró: "Si una comida te sale mal, no te pongas triste. Debes decirte: 'Trataré otra vez, buscaré una nueva re-ceta y tendré éxito', y verás como todo sale bien.

4. Fred se sintió muy aliviado porque no quería derramar más comida y además necesitaba el trabajo. Desafortunadamente, no tuvo mucho éxito como cocinero. Primero, un hombre alto pidió una paella. Fred siguió la receta, pero cuando probó la receta no le gustó el sabor. Pensando que a los clientes les gustaban los sabores picantes, metió algunos chiles picantes en el tazón. Después de un rato, el cliente devolvió la paella a la cocina. Luego, un muchacho bajito pidió el gazpacho andaluz. Fred preparó el gazpacho según la receta y lo probó, pero no le gustó el sabor. Entonces se dijo: "Si calentara el gazpacho en el microondas, tendría mejor sabor". Fred no sabía que el gazpacho se sirve frío. Pero Fred, en vez de servirlo frío, lo calentó bien en el microondas. El cliente tomó el tazón de gazpacho rápidamente y se quemó. Después, se quejó al dueño y se fue sin dejar propina. Después de un ratito, el dueño entró en la cocina y le dijo a Fred que su trabajo nuevo era lavar los platos.

5. Fred estaba muy agradecido porque el dueño no lo despidió, y empezó a lavar los platos. Se dio cuenta de que lavar los platos era mejor que no tener trabajo. En pocos minutos lavó 489 platos y 1.567 cubiertos. Después de un rato el dueño entró y se puso muy contento. Estaba realmente **asombrado**[1] porque Fred había hecho un trabajo excelente. El dueño trajo una botella de su mejor champagne y la abrió, diciendo: "Beberemos una copa para celebrar. Hiciste un trabajo excelente". Fred también estaba contento: ¡Por fin, tenía éxito! Y aunque no le gustaba el champagne, no dijo nada y bebió una copa.

[1] **amazed**

¡Cuánto me cuentas!

√ **Contesta las siguientes preguntas con V *(verdadero)* o F *(falso)*.**

1. _____ Fred gastó todo el dinero.

2. _____ Él comió en un restaurante.

3 _____ Era buen camarero.

4. _____ Sirvió la sopa en la gorra porque no quería ponérsela.

5. _____ A la mujer le gustó la sopa.

6. _____ Fred no cocinó bien.

7. _____ El dueño era muy paciente.

8. _____ Es mejor comer del plato lavado por Fred que cocinado por Fred.

9. _____ Fred pensaba que lavar platos era mejor que no tener empleo.

10. ____ Fred ganó mucho dinero con las propinas que le dejaron los clientes.

√ **Contesta las siguientes preguntas como si fueras Fred.**

1. ¿Cómo perdiste tu dinero?

2. ¿Por qué pusiste el tazón de sopa en la gorra del cocinero?

3. ¿Qué pusiste en la paella? ¿Por qué?

4. ¿Cómo te sentiste cuando el dueño te dijo que ibas a lavar platos?

5. Cuando fuiste a trabajar en el restaurante, ¿dónde dejaste al perro? Explícalo.

Un poco de gramática

Nota: The "if clause with pluperfect subjunctive is used to refer to conditional situations in the past. These sentences have two parts: the "if" part (or condition) and the "main" part (or result), and they are frequently used to express regrets. Look at the following examples:

1.) *"Si hubiera estado en la fiesta... habría bailado toda la noche".*

2.) *"Si no hubiera comido pollo... no habría tenido dolor de estómago".*

a) The Past Condition (Si...)

"Si + hubiera o hubiese + past participle of the verb (...ado, ido)" is used to describe a condition in the past that did NOT happen. For example, *"Si hubiera estado en la fiesta."* means that I was **NOT** at the party. *"Si + **NO** hubiera o **NO** hubiese + past participle of the verb"* is used to describe a condition in the past that **DID** happen. For example, *"Si **no** hubiera comido pollo"* means that I actually ate chicken.

b) Past results

"... habría + past participle of the verb (...ado, ido)" in the main part of the sentence is used to indicate a result that is dependent upon the 'condition' that existed (or did not exist) in the conditional part of the sentence. In our example, *"habría bailado toda la noche"* means that I did **not** dance, because I did **not** go to the party. (If I **had** been at the party, I **WOULD** have danced all night.) *"No habría tenido dolor de estómago"* means that I indeed had a stomachache, but if I had not eaten chicken, I would not have had a stomachache.

√ La siguiente actividad tiene 3 partes: 1.) Lee *"El cocinero fracasado"* y decide quién posiblemente pensó o hizo los siguientes comentarios: Fred, el dueño, el veterinario, la mujer, el cliente alto o el cliente bajito. 2.) Después decide a qué momento de la historia pertenece cada comentario. Escribe el número del párrafo al lado de cada número. 3.) Decide qué comentarios se refieren a una situación <u>real futura</u>, cuáles a una situación <u>hipotética presente</u> y cuáles a una situación <u>hipotética pasada</u>. (Los números 1 y 2 sirven como ejemplos.)

1. Si esto no hubiera pasado, la clienta no se habría quejado y probablemente, te habría dejado una buena propina.
   El dueño, párrafo 3, Situación hipotética pasada
2. Si tuviera experiencia como cocinero, no me preocuparía.
   Fred, párrafo 3, Situación hipotética presente
3. Tendrás que trabajar muy duro si quieres ser camarero en mi restaurante.
4. Si le hubiera ofrecido el trabajo de lavaplatos, no habría tenido tantos problemas.
5. Si este plato no fuera tan picante, probablemente lo comería.
6. Si el toro no te hubiera herido, no habrías venido a mi consultorio.
7. No pagaré por comida caliente.
8. Si no me hubiera gritado, no habría derramado el caldo.
9. Si tuviera un buen trabajo, podría pagar la cuenta.
10. Al fin podré pagar la cuenta.

La historia continúa

√ Continúa la historia como si fueras Fred e ilústrala.

Lecturas culturales:

España: La vida social

En España, la mayoría de las personas jóvenes pasan muchísimo tiempo fuera de la casa con sus amigos. Normalmente, los jóvenes españoles no dan muchas fiestas en su casa, ni invitan a sus amigos a cenar o a pasar la noche en sus casas. La casa se considera un lugar privado para la familia. Entonces, ¿adónde van los jóvenes para pasar un rato libre con sus amigos? Pues, normalmente van a un café, una terraza-bar en verano, una discoteca, un parque, la plaza de la ciudad, o a un centro comercial.

Para los adolescentes es muy fácil llegar a cualquier lugar para ver a sus amigos. Tener un coche no es necesario, y los padres casi nunca llevan a sus hijos adolescentes en coche. Siempre hay un autobús, tren, o, en una ciudad grande como Madrid, el metro va por todas partes y es bastante barato. Otros adolescentes van en moto o simplemente caminan a sus destinos.

Para los adolescentes, que en España normalmente no tienen trabajo, es importante divertirse sin gastar mucho dinero. Es muy común que los jóvenes pasen dos o tres horas hablando en un café, bebiendo refrescos y comiendo "tapas". Tapas es una comida que se sirve en porciones pequeñas. Muchas veces, cuando la gente sale en grupo, pide varios platos con tapas diferentes y todas las personas "pican" de los platos. Las tapas son muy populares en España e incluyen todo tipo de carne, pescado, mariscos, patatas y mucho más.

Otra costumbre normal en España es el "paseo". A la tarde, antes de cenar, a las siete u ocho, verás a muchas personas caminando por la ciudad. Para los adultos y los niños es una oportunidad de hablar con sus vecinos y amigos y hacer un poquito de ejercicio. Para los adolescentes, es una oportunidad de vestirse bien, arreglarse el pelo, maquillarse y caminar con sus amigos. También, ¡es una oportunidad para mirar a los muchachos y muchachas!

¡Te invito!

En España, el concepto de "invitar" a otra persona es un poco diferente que en Estados Unidos. En Estados Unidos, cuando invitas a un amigo a salir a un restaurante o para tomar una Coca-cola, normalmente cada persona paga su propia comida o bebida. Pero cuando sales con tus amigos en España, es normal que uno de ellos diga al grupo "Os invito". Cuando una persona dice: "Te invito" (a ti), u: "Os invito". (a vosotros/ ustedes), tú no tienes que pagar la comida o las bebidas. Cuando es la hora de pagar la comida o las bebidas, muchas veces una persona en el grupo paga por todas las personas del grupo. No debes negarte cuando te invitan, pero cuando una persona te invita a comer o a beber, tú entonces estás obligado a invitar a tu amigo la próxima vez. Si tú siempre aceptas cuando los amigos te invitan y nunca los invitas, ¡no vas a tener amigos durante mucho tiempo!

Otro ejemplo del valor diferente que posee el concepto diferente de "invitar" en España es la fiesta de cumpleaños. Normalmente los cumpleaños de los niños son iguales en España que en los Estados Unidos. Los padres dan una fiesta para el niño e invitan a los amiguitos. Hay comida y juegos. Pero es diferente para los cumpleaños de los adultos. En Estados

Unidos, normalmente los amigos de una persona le dan una fiesta en su cumpleaños. En España, en cambio, la persona que celebra su cumpleaños invita a todos sus amigos. Los invita a tomar una copa (una bebida) o a cenar en un restaurante, pero es la persona que cumple años quien paga todo.

Paella y gazpacho

Comúnmente se llama "paella" a un plato típico español, que se hace con arroz, azafrán (saffron) y aceite de oliva. A esta preparación se le agregan distintos ingredientes: algunos españoles le agregan verduras, otros pollo y conejo (típico plato Valenciano), y muchos le agregan pescado. La paella de pescado y mariscos (seafood) es famosa internacionalmente. Si buscamos en el diccionario el término "paella", veremos que se refiere a la sartén (pan) en la cual se cocina este delicioso plato. Para evitar confusiones, se creó el término "paellera" para denominar a la sartén; aunque muchos aún llaman paella tanto al plato como a la sartén.

El gazpacho es una sopa fría típica de España, hecha con ingredientes crudos. Tiene como ingredientes básicos pan, agua, aceite de oliva, ajo, y sal; pero se le pueden agregar: tomates, pimientos, pescados, jamón o huevo duro (hard boiled egg). Muchos españoles comen gazpacho como primer plato en verano o como un simple refresco para el calor. La tradición andaluza sugiere sazonar el gazpacho con comino molido y pimentón, el cual le da un color rojo muy característico.

Da tu opinión

√ **Contesta las siguientes preguntas.**

1. Si invitaras a tus amigos a un restaurante, ¿pagarías la cuenta como lo harían contigo en España? Explícalo.

2. ¿Hay cosas de la cultura española que quisieras (o no quisieras) trasladar a tu propia cultura? ¿Cuáles son? ¿Por qué?

3. Compara la vida social en Estados Unidos y España usando el siguiente diagrama.

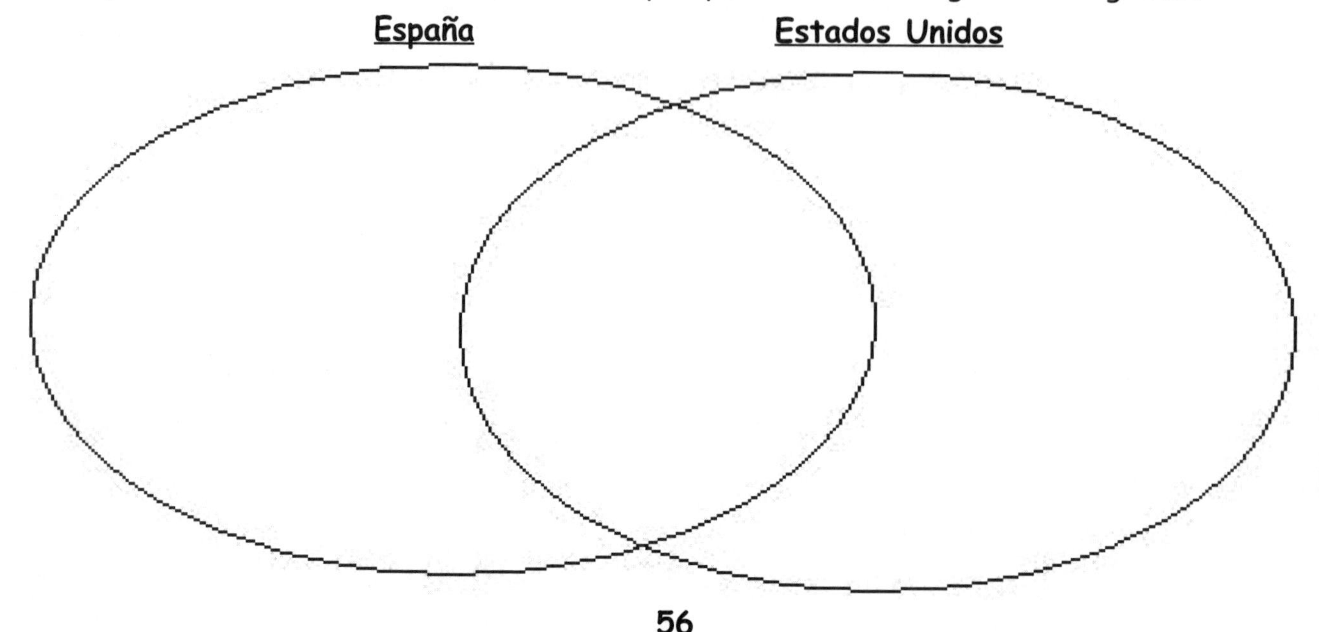

Capítulo tres:
El camino equivocado

Mini-cuento A

(la ballena) atravesó el océano

he esperado/he estado esperando

no lo he visto/ ¿Has visto...?

no creo que pueda

quiero que me espere

la cola (de la ballena) era grande

Mini-cuento B

quiero que me mire/hable

con voz suave

se sintió mareado

busco a un hombre que sea

se equivocó de camino

Ojalá que tenga...

Mini-cuento C

un boleto de ida y vuelta

hacía frío/calor

Si hubiera sabido que (hacía frío), habría...

¿Ha estado usted...? / he estado

Ojalá que (no) tuviera...

Ojalá que (no) hubiera...

Mini-cuento D

no tenían dónde pasar la noche

nunca/siempre lo habían hecho

tuvieron que... / tuverion una idea

nunca habían trabajado

aprendieron

iban a (dormir, etc.)

Mini-cuento A

(la ballena) atravesó el océano	he esperado / he estado esperando
no lo he visto / ¿Has visto...?	no creo que pueda
quiero que me espere	la cola (de la ballena) era grande

Había un ballenato (bebé ballena) que era muy pequeño aunque tenía una cola muy grande. La cola era tan grande que pesaba más que todo el cuerpo. El bebé ballena siempre nadaba muy rápido porque la cola era grande y fuerte. Una ballena adulta normalmente atraviesa el Océano Pacífico en veinte minutos, pero el bebé ballena lo atravesaba en sólo diez. Sin embargo, el ballenato tenía miedo porque aunque nadaba muy bien, no podía nadar lentamente. Cada vez que salían, su padre le decía: "Por favor, quiero que me esperes". Pero como la ballena no podía nadar lentamente, siempre le decía a su padre: "No creo que pueda esperarte". Y nunca lo esperaba.

Un día, su papá lo acompañó mientras atravesaba el océano. El ballenato nadaba tan rápidamente que después de trece segundos, su papá ya no lo vio más. A los quince segundos, el papá se cruzó con su hija, Cola Blanca, y le preguntó: "¿Has visto a tu hermano?" Cola Blanca le dijo: "No. No lo he visto". El padre le pidió: "Atravesamos medio océano juntos, pero con esa cola tan grande que tiene empezó a nadar muy rápido. Tendrás que ayudarme a buscarlo". "No creo que pueda. Mis amigas me esperan. Iremos al cine a ver Tiburón", dijo Cola Blanca. "No creo que puedas. Ve a casa y dile a tu madre que quiero que me espere", dijo el padre y nadó rápidamente, pero no tan rápido como su hijo porque la cola del Señor Ballena no era tan grande.

El papá del ballenato de cola grande siguió nadando y llegó a Japón. Allí vivía la abuela del ballenato. Al verlo, le dijo: "Te he estado esperando. Tu esposa me llamó al celular y me dijo que vendrías". "¿Has visto a mi hijo, tu nieto?", preguntó el Señor Ballena. "No. No lo he visto. Quiero que me esperes mientras voy al norte y les pregunto a tus primos de Alaska. Además necesitas descansar". El Señor Ballena estaba muy preocupado: "No creo que pueda. Estoy desesperado". "Bueno, entonces después de comer algunos pescaditos, atravesaremos juntos el océano". "No creo que pueda esperarte ni comer. Necesito salir ahora mismo".

Madre e hijo atravesaron el océano preguntando a cada ballena: "¿Has visto a un bebé ballena con una cola muy grande?" Así fueron nadando por todo el océano y preguntando a peces grandes y pequeños, de colas grandes y de colas pequeñas: "¿Has visto a un bebé ballena con una cola muy grande?" Algunos decían: "No. No lo hemos visto", otros decían: "Creo que lo hemos visto, pero no estamos seguros", y otros -los más pequeños- se asustaban al ver a dos ballenas nadar rápidamente hacia ellos. En este último caso, era necesario gritar con voz de ballena enojada: "Quiero que me esperes. Necesito hacerte una pregunta". Y nadie decía: "No creo que pueda", porque si bien no querían esperar a las ballenas, tampoco querían que éstas se enojaran.

Cansada de atravesar el océano, Abuela Ballena le dijo a Papá Ballena: "No creo que pueda seguir. Me voy a quedar en Hawai, con tía Orca". "Te acompañaré hasta su casa. Quiero que me esperes allí". Al llegar, tía Orca los estaba esperando con una noticia fantástica: En la playa de Waikiki, estaba el ballenato filmando Baywatch. Papá Ballena se fue a ver a su hijo de cola grande y, emocionado de que éste fuera estrella de cine, no le dijo: "Te he estado buscando". Tampoco le dijo: "No creo que puedas", cuando su hijo le dijo: "¿Me has visto? Ahora soy famoso. Y a todos les gusta mi cola tan grande porque me permite nadar muy rápido. En realidad, yo estoy grande también. Por eso, no quiero que me trates como a un bebé ni que me esperes aquí. Quiero que me esperes en casa. Regresaré dentro de dos días".

Y así, Papá Ballena atravesó el océano para volver a su casa. Al llegar, su esposa le dijo: "Te he estado esperando durante un buen rato. Vamos a ver a nuestro bebé por la tele". "Quiero que me esperes un momento. Necesito decirte algo: No creo que puedas llamarlo bebé nunca más".

Mini-cuento A: Puntos de Vista

√ Utiliza las siguientes palabras para llenar los espacios en blanco y completar la historia desde el punto de vista de los esposos Ballena.

salimos	fuimos	tuvimos	atravesábamos	preocupábamos
teníamos	lloramos	decíamos	pedimos	acompañamos

Mi esposa y yo (1) _______________ un hijo que era muy pequeño, aunque tenía la cola muy grande que pesaba más que todo el cuerpo. Como su cola era tan grande, nuestro hijo siempre nadaba más rápido que nosotros. Mi esposa y yo (2) __________________ el

Océano Pacífico en veinte minutos, pero nuestro bebé lo atravesaba en diez. Nuestro bebé no podía nadar lentamente y nosotros nos (3) _______________ porque era muy pequeño para nadar solo. El también tenía miedo porque nadaba muy rápido. Y, aunque le (4) _____ __________: "Queremos que nos esperes", no nos esperaba.

Un día, los tres (5) _______________a nadar por el océano y trece segundos más tarde no lo vimos más. Entonces, les (6) _______________ ayuda a nuestros familiares para buscar a Bebé. Primero, (7) _______________ a casa de mi madre, la abuela de mi hijo, pero ella no lo había visto. Después, (8) _______________ a mi madre a la casa de Tía Orca, que vivía en Hawai. Allí, (9) _______________ una sorpresa: Bebé estaba filmando un capítulo de Baywatch. El director y los actores estaban fascinados con la cola de Bebé: ¡Nunca habían visto una cola tan grande! Mi esposa y yo (10) _______________ de emoción. Nunca más llamamos "Bebé" a nuestro hijo actor.

Una entrevista

√ Un periodista entrevistó a los padres de "Ballenita" (Bebé Ballena). Lee las respuestas de los padres y escribe las preguntas que el periodista les hizo.

Periodista: 1) ______________________________

Sres. Ballena: Era tan grande que pesaba más que todo su cuerpo.

Periodista: 2) ______________________________

Sres. Ballena: Nosotros, en veinte minutos y "Ballenita", en diez.

Periodista: 3) ______________________________

Sres. Ballena: En realidad, nos preocupábamos porque era muy pequeño para nadar solo.

Periodista: 4) ______________________________

Sres. Ballena: Sí. Y tuvimos que pedir ayuda a nuestros familiares para buscarlo.

Periodista: 5) ______________________________

Sres. Ballena: Estamos muy contentos y le deseamos éxito.

Mini-lectura cultural: El encanto de las ballenas

Las ballenas son los mamíferos más grandes y fascinantes de la Tierra. Se mueven en grupos a través del océano y están unidos por lazos sociales. Es muy intenso el encanto y la emoción de los biólogos y turistas ecológicos cuando observan a las ballenas.

En varios países latinoamericanos se puede ver a las ballenas cuando llegan a la costa después de atravesar el océano. En Colombia, entre los meses de julio y noviembre unas 1200 ballenas llegan al Pacífico colombiano para reproducirse. Los turistas se suben en unos botes para verlas de cerca, aunque otros prefieren hacerlo desde la costa, que es más seguro.

En el sur de Chile, a la Ballena Azul se la espera entre diciembre y abril. Allí hay un centro de investigación especial para este tipo de ballena, creado para la conservación y estudio de esta especie en vías de extinción.

Mientras tanto, en el mes de octubre en las costas uruguayas, turistas e investigadores observan otro tipo de ballena más pequeña: la Ballena Franca. Los biólogos no dudan en subirse a un avión y recorrer kilómetros en el aire mientras las ballenas atraviesan el océano rumbo al norte, Brasil, donde llegan en noviembre.

En la Península de Valdez, en el sur de Argentina, las tranquilas aguas reciben todos los años a familias de ballenas que van a reproducirse.

Existen mitos y leyendas sobre las ballenas. Muchos son narrados en documentales y relatos. Lo cierto es que las misteriosas melodías, o "canto de las ballenas" que utilizan para comunicarse entre sí, han dado origen, por ejemplo, a leyendas sobre las enigmáticas sirenas del mar.

Para más información acerca de ballenas, visita los siguientes sitios de la web:
www.riosysenderos.com; www.francaaustral.edu.uy; www.ballenazul.org; www.wwf.org.

√ Entrevista a tus amigos y familiares. Escribe por lo menos una respuesta a cada serie de preguntas. Utiliza los ejemplos.

1. ¿Has visto ballenas alguna vez?

1a. Si la respuesta es sí, pregunta: ¿Dónde las viste? ¿Qué te parecieron?
Ejemplo: Mi amigo Manuel vio ballenas en Argentina. Al comienzo tuvo miedo pero después le parecieron fascinantes.

1b. Si la respuesta es no, pregunta: ¿Te gustaría verlas? ¿Les tendrías miedo?
Ejemplo: Mi primo Julián nunca ha visto ballenas. Dice que les tendría miedo y, por eso, no quiere ir a verlas.

Mini-cuento B

quiero que... me mire / me hable	**con voz suave**
se sintió mareado	**busco a un hombre que sea**
se equivocó de camino	**Ojalá que tenga...**

Había una vez una chica llamada Lorena que tenía mucha suerte. Cada vez que quería algo y lo pedía con voz suave, lo obtenía. Una vez, Lorena quería salir con un chico muy guapo que se llamaba Paquito. Lorena había visto a Paquito por primera vez en el centro comercial, y al verlo, ella le dijo a su amiga al oído, con voz muy suave: "¿No es divino? Quiero que me mire. Ojalá que tenga ojos azules". En ese momento, Paquito se quitó los anteojos y la miró con sus grandes ojos azules. Paquito era muy fuerte y tenía músculos grandes. Lorena lo miró y pensó: "Busco a un hombre que sea fuerte y con músculos grandes como éste".

Lorena vio a Paquito por segunda vez en la plaza, y le dijo a su amiga con voz un poco suave: "¡Ahí está el divino! Ojalá que tenga voz suave. Quiero que me hable con voz suave". Curiosamente, Paquito se acercó y les dijo con voz suave: "Espero a un amigo, pero pienso que se equivocó de camino o de hora. ¿Pueden decirme qué hora es?". "Son las tres", dijo la amiga de Lorena porque cuando Lorena escuchó a Paquito, se sintió un poco mareada y no pudo hablar. "Busco a un hombre que sea agradecido. Ojalá que nos hable nuevamente para agradecernos", pensó Lorena. En ese momento, Paquito dijo con voz suave: "Muchas gracias", y Lorena se sintió mareada otra vez.

El tercer día que Lorena vio a Paquito estaba con su amiga en el patio de la escuela. "¡Ahí está el divino! Quiero que me hable. Ojalá que tenga que ayudarlo", dijo Lorena con voz suave. Paquito se acercó y le dijo: "Soy nuevo en tu escuela. Ojalá que tengas tiempo para darme unas clases de matemática. ¿Puedes?" Paquito tenía una voz suave pero masculina. Al escucharlo, Lorena se sintió mareada y no le contestó. Desde ese momento, cada vez que Lorena escuchaba la voz de Paquito, se sentía mareada.

Un sábado, Lorena vio a Paquito en el cine con un amigo y dijo con voz suavecita: "Quiero que me mire, pero no quiero que me hable". Paquito se acercó a Lorena y le dejó una cartita que decía: "Ojalá que tengas tiempo para darme una clase de matemática. ¿Puedo ir el lunes?". Lorena estaba encantada y **asintió con la cabeza**[1] mientras pensaba: "Busco a un hombre que sea discreto como éste. Ojalá que no tenga novia".

El lunes, Paquito salió de su casa para ir a la casa de Lorena, pero se equivocó de camino y se perdió. Por eso, Paquito llamó a Lorena desde su teléfono celular. Lorena estaba nerviosa porque era un poco tarde y le dijo: "Te he esperado toda la tarde. ¿Qué te pasó?" Paquito le dijo que se había equivocado el camino y necesitaba instrucciones para llegar a la casa de Lorena. Cuando Lorena escuchó la voz de Paquito, en vez de sentirse muy contenta, se sintió muy mareada y **colgó**[2]. Paquito volvió a llamar, y Lorena le pidió a su madre con voz muy suave: "Mi amigo se equivocó el camino y necesita instrucciones. Quiero que hables por mí". La mamá le explicó al chico cómo llegar.

Por fin, llegó Paquito a la casa de Lorena. Al verlo, Lorena pensó: "Ojalá que no hable", pero no lo dijo con voz suave. Paquito le explicó: "Discúlpame. Ojalá que tengas tiempo de explicarme matemática. Yo salí temprano de casa, pero me equivoqué el camino y...". Lorena se sintió tan mareada que casi se cae. A gritos le dijo a Paquito: "Tendrás que dejar de hablar. Me siento mareada cuando te escucho". Paquito se ofendió, así que le escribió un mensaje en su celular que decía: "Mi ex-novia me decía que se sentía mareada con mi voz ¡Ojalá que mi próxima novia tenga algodón en los oídos!". Lorena le respondió con este mensaje: "Tu voz no es el problema. Yo busco a un hombre que sea **mudo**[3]".

[1]**nodded** [2]**hung up** [3]**mute**

Versión #2 del Mini-cuento B

√ Usa las siguientes palabras para completar los espacios en blanco y contar la historia desde el punto de vista de las chicas.

nos llamó	**escuchábamos**	**dijimos**	**vimos**
no queremos	**nos sentíamos**	**escuchamos**	**queríamos**

Cuando estaba en la escuela secundaria, mi amiga Lorena y yo (1) ____________ tener una cita con un chico muy guapo que se llamaba Paquito. Paquito era muy fuerte. Tenía los músculos grandes, pero su voz era suave y masculina. El único problema que había es que cada vez que nosotras (2) ___________ la voz de Paquito, (3)___________________________ mareadas. Un día, Paquito quería visitarnos. Al venir, se equivocó de camino y se perdió.

Mientras lo esperábamos, Lorena y yo discutimos nuestro problema. Finalmente, Paquito (4) ______________________ desde su celular y nos dijo que se había equivocado de camino y que necesitaba instrucciones para llegar a la casa. Cuando (5) _______________ la voz de Paquito, en vez de sentirnos muy contentas, nos sentimos mareadas. Nos sentamos en el suelo y cuando pudimos hablar, le (6) _______________________ a Paquito: (7)" __________________________ que nos hables porque nos sentimos mareadas cuando te escuchamos". Paquito se ofendió y nos mandó un mensaje de texto que decía: "¡Ojalá que mis próximas novias tengan algodón en los oídos!". Nosotras le enviamos otro mensaje diciendo que buscábamos un hombre mudo. Después de eso, no lo (8) ___________________________ más.

Sobre esta historia...

√ Indica si las siguientes oraciones son verdaderas (V) o falsas (F). Corrige las oraciones falsas y conviértelas en verdaderas.

______ 1. Paquito hablaba con voz de mujer.

______ 2. Cada vez que veían a Paquito, las chicas se sentían mareadas.

______ 3. Cuando Paquito se equivocó de camino, les mandó un mensaje de texto desde su celular.

______ 4. Cuando escucharon la voz de Paquito, las chicas se sintieron mareadas.

______ 5. Cuando las chicas le pidieron que no hablara más, Paquito se enojó.

Da tu opinión

1. Si tu novio(a) se ofendiera contigo porque cuando habla te sientes mareado(a), ¿qué harías? Explica por qué.

2. Si tu novio(a) te dijera que al escuchar tu voz, se siente mareado(a), ¿cómo te sentirías?

3. ¿Le pasará lo mismo a Lorena con otros chicos que le gustan? Explícalo.

4. Si fueras Lorena, ¿le contarías tu problema a alguien? Explícalo.

Mini-lectura cultural: ¡Los hechizos[1]!

En la cultura de los pueblos latinoamericanos es muy popular la práctica de rituales o **hechizos**[1]. El hechizo es un acto mágico en el que, mediante procedimientos misteriosos y, para algunos, sobrenaturales, se pretende producir un cambio de la realidad. Existen hechizos para atraer el dinero, la salud, el amor o la buena suerte.

Para los hechizos se usan hierbas, **velas**[2] o perfumes. Las hierbas de la selva amazónica de Perú son muy buscadas. Los curanderos preparan pociones con estas hierbas y esperan que el cliente tenga suerte después de beberlas; y, aunque algunos se sienten mareados, la mayoría de ellos se van contentos. Muchas personas viajan largas horas buscando a algún hombre o mujer que sea curandero, y les dicen: "Necesito que me des un hechizo". Según el mal, el curandero prepara el hechizo y le dice al cliente qué debe hacer.

En Lima, Perú, hay una "Feria de los Deseos", donde cientos de personas se aproximan para recibir los "baños" que les preparan los curanderos que llegan desde otros países cercanos, como Bolivia. Allí es común ver un muñeco de los Andes de gran tamaño, llamado "ekeko" que carga con todos los pedidos de la gente. A ese muñeco se le debe dar un cigarro todos los martes y viernes para que se cumplan los deseos.

En países caribeños como Venezuela, Cuba, El Salvador o Colombia, la magia es muy practicada por curanderos. Para atraer a la buena suerte y el amor, los curanderos usan piedras con propiedades mágicas que luego se llevan como **amuletos**[3].

Pero no sólo en Latinoamérica existen los hechiceros, magos o curanderos. En Navarra, al norte de España, aún hoy se conservan las casonas de "el pueblo de las brujas", donde pasear por sus calles es un viaje al pasado cuando la magia era muy practicada en ese país. En aquel entonces, los hechizos eran realizados adorando al Sol y a las fuerzas de la naturaleza. Cuenta la leyenda que las brujas o hechiceras de ese pueblo debían llevar una marca en el dedo de la mano izquierda, que dicen es la mano del corazón y una joya encantada.

Muchos no creen en las brujas ni en los curanderos, pero otros sí. Algunos hacen hechizos como forma de vida, visten ropas de hechiceros y reciben dinero por ello. Otros visten ropas normales y hacen trabajos normales, pero están listos para solucionar problemas sin recibir dinero por ello. Es común en Latinoamérica decir: "No existen las brujas, pero que las hay, las hay".

[1]spell [2]candles [3]lucky charms

Para más información, visita los siguientes sitios de la web: www.wikipedia.org; www.lacoctelera.com; www.zonagrutuita.com.

Mini-cuento C

Ojalá que (no) hubiera...	**un boleto de ida y vuelta**
hacía frío / hacía calor	**Ojalá que (no) tuviera**
Si hubiera sabido que (hacía frío), habría...	
¿Han estado ustedes...? / he estado	

Había un muchacho que se llamaba Carlitos Moreno. Un día de enero, decidió ir de vacaciones a un lugar diferente. Por eso, pensó: "He estado en muchos lugares. He estado en lugares donde hacía frío y he estado en lugares donde hacía calor. He estado en lugares donde mucha gente ha estado. Siempre he estado en lugares donde mis amigos han estado. Esta vez, quiero ir a un lugar diferente, por eso compraré un boleto de ida y vuelta para ir a un lugar diferente".

Carlitos quería ir a una playa tropical donde nadie hubiera estado anteriormente, así que preguntó a sus amigos: "¿Han estado ustedes en Puerto Escondido en México?", pero todos respondieron que sí. "Sí fuimos allá, pero hacía mucho calor". Carlitos nunca había estado en Puerto Escondido, por eso pensó: "Ojalá que no hubieran estado allí", y no compró un boleto para ir allá. Luego, les preguntó a sus amigos: "¿Han estado ustedes en la Isla Margarita, en Venezuela?", porque Carlitos nunca había estado en la Isla Margarita, pero todos respondieron que sí. "Sí fuimos allá, pero hacía mucho calor". Carlitos pensó: "Ojalá que no hubieran estado allí", y no compró un boleto para ir allá tampoco. Por fin, les preguntó a sus amigos: "¿Han estado ustedes en la Antártida", y todos respondieron que ¡NO! Finalmente Carlitos encontró un lugar adonde nadie había estado, y por eso compró un boleto de ida y vuelta para ir en un crucero a la Antártida.

Antes de partir, Carlitos miró un mapa de La Antártida y vio que había mucha agua alrededor del continente. El muchacho no era muy inteligente así que pensó que había muchísimas hermosas playas tropicales en la Antártida. El viaje en el crucero fue muy movido. Muchas veces, Carlitos se sintió mareado y pensó: "Ojalá que hubiera comprado un boleto de ida y vuelta en avión y no en crucero", y "ojalá que tuviera una pastilla para dormir y despertarme en las playas tropicales de la Antártida". ¡Pobre Carlitos! Si hubiera sabido que hacía tanto frío en la Antártida, habría comprado un boleto de ida y vuelta para otra parte.

Cuando llegó, era de noche, nevaba mucho y hacía mucho frío. Hacía tanto frío que la cama de Carlitos estaba helada. En la cama, Carlitos se puso toda la ropa que había traído mientras pensaba: "Ojalá que no tuviera tanto frío. Si hubiera sabido que hacía frío, habría venido con mucha ropa abrigada". Al día siguiente, Carlitos fue a la playa y pensó: "Ojalá que no tuviera tanto frío. Ojalá que hiciera calor. Si hubiera sabido que hacía frío, no habría venido acá. Ojalá que hubiera sabido que hacía tanto frío acá antes de comprar el boleto". En la playa, el muchacho temblaba porque pensaba que no era apropiado usar chaqueta. Pero, después de temblar durante dos horas y pensar: "Si hubiera sabido que hacía frío, habría traído mi chaqueta roja", "¡ojalá que hubiera sabido...!", y "¡Ojalá que tuviera una chaqueta abrigada!", el muchacho decidió que ya no le importaba si era apropiado o no usar chaqueta. Rápidamente, fue a una tienda barata que se llamaba S-Mart a comprar una chaqueta.

"Buenas tardes", dijo la vendedora. "¿Ha estado usted anteriormente en nuestra tienda? "No", dijo Carlitos. "Jamás he estado aquí. Ayer llegué por primera vez a este lugar y hace tanto frío que necesito comprar una chaqueta". La vendedora le contó que las chaquetas baratas las habían comprado la semana anterior: "Ojalá que hubiera venido la semana pasada. Si hubiera venido el lunes, habría comprado chaquetas hermosas por $ 5. Ahora sólo quedan chaquetas de $ 5.000". Carlitos eligió una chaqueta muy cara, pero muy abrigada. Por eso, Carlitos pensó: "Ojalá que no tuviera que gastar tanta plata en la chaqueta. Si hubiera sabido que iba a gastar tanto dinero, habría traído más dinero". Sin embargo, la compró de todos modos.

Ni bien la pagó, se puso la chaqueta, fue a Playa Pingüino y se acostó en la silla de playa. Allí pensó: "He estado en muchos lugares, pero nunca en un lugar tan frío. La próxima vez, compraré un boleto de ida y vuelta para ir a...

√ Contesta las siguientes preguntas sobre la historia.

1. ¿En qué lugares hacía calor en la historia y en cuáles frío?
2. ¿Adónde decidió Carlitos ir de vacaciones? ¿Por qué?
3. ¿Cómo era La Antártida?
4. ¿Cómo se sentía Carlitos en la Antártida?
5. ¿Por qué Carlitos fue a S-Mart?

Da tu opinión

1. ¿Por qué Carlitos quería ir a un lugar diferente, donde nadie hubiera estado?

2. Si Carlitos te hubiera invitado a ir a la Antártida con él, ¿habrías ido? Explícalo.

3. Si te sintieras mareado en un viaje largo, ¿qué harías?

4. Si hubieras ido a la Antártida sin chaqueta, ¿habrías comprado una chaqueta tan cara como la que compró Carlitos?

5. ¿Para qué lugar quería Carlitos comprar un boleto al final de la historia?

6. Si pudieras comprar un boleto de ida y vuelta para cualquier lugar, ¿qué tipo de lugar elegirías? Explícalo, utilizando las características del lugar. (Por ejemplo, iría a un lugar frío/caluroso, turístico/desértico, con playas/en la montaña, etc.)

Continúa la historia

√ Carlitos decidió comprar un boleto de ida y vuelta para ir a otro lugar, pero esta vez decidió no ir solo y te invitó a ti. Escribe acerca del lugar adonde fueron y de lo que hicieron.

Mini-lectura cultural: Puerto Escondido

¿Has estado alguna vez en Puerto Escondido? El paraíso tropical que se conoce con ese nombre, sobre el Pacífico sur en la costa oaxaqueña, es un hermoso centro turístico -el más antiguo de la región. La inmensa belleza de este pueblo costero se debe al **ambiente**[1] que hay en sus costas, con sus costumbres y tradicionales fiestas.

El nombre del lugar tiene una historia interesante, ya convertida en leyenda. Se cuenta que el pirata Sir Francis Drake secuestró a una bella joven y la mantuvo cautiva en el barco hasta que la muchacha pudo escapar y nadar hasta la costa. El pirata la buscó pero la joven se escondió en la selva. Los piratas comenzaron a llamar a la muchacha "La Escondida". Poco tiempo después, la región comenzó a llamarse "Bahía La Escondida".

Puerto Escondido cuenta con diversos lugares donde se ofrece descanso, aventura y también vida nocturna. Ojalá que muchas personas lo conocieran aún más y tuvieran un boleto de ida y vuelta para este lugar, ya que además de la belleza tiene un centro de **aguas termales**[2] especialmente diseñado para relajarse.

Los hoteles son muy cómodos, pero después de alojarse en ellos, muchos turistas comentan que si hubieran sabido que existían **cabañas**[3] rústicas, sin duda las hubieran elegido, ya que en las cabañas pueden pasar unos días en contacto total con la naturaleza.

Puerto Escondido es, sin duda, un destino turístico muy atractivo para las personas que se sienten conectadas con la naturaleza y la ecología ya que combina armoniosamente hermosos paisajes y un ambiente de libertad.

[1]**atmosphere** [2]**hot springs** [3]**cabins**

Para más información, visita los siguientes sitios de la web: www.bestday.com.mx; www.pto.escondido.com.mx

√ **Contesta estas preguntas.**

1. ¿Has estado alguna vez en Puerto Escondido?

   1a. Si tu respuesta es sí, ¿qué actividades realizaste?

   1b. Si tu respuesta es no, ¿qué actividades te gustaría realizar?

2. ¿Te gustaría ir a Puerto Escondido? Explícalo.

Mini-cuento D

quiero que vayan	espero que tengan/haya	dudo de que quiera
No creo que... sea	recomendó que fuera	aunque haya

Había tres estudiantes que querían hacer un crucero como **viaje de egresados**[1] de la escuela secundaria. Los chicos estudiaban en una escuela en Montana, donde hace mucho frío. Por eso, el director de la escuela les dijo: "Quiero que vayan a un lugar cálido para poder nadar todos los días. No quiero que vayan a un lugar frío. Si van a un lugar frío, temblarán todo el tiempo aunque haya mucho sol". Los chicos querían conocer la Antártida, pero el director les recomendó que no fueran a la Antártida: "Dudo de que quieran ir a un lugar tan frío. Aunque haya mucho sol, no podrán ir a la playa". Tampoco les recomendó que fueran al Sur de la Argentina o a Chile porque en esos lugares hace mucho frío: "No dudo de que quieran conocer lugares tan hermosos como hay en Sudamérica. Pero dudo de que quieran nadar en aguas heladas. Aunque no haya mucho viento, no podrán nadar si van allí".

Los chicos no tenían idea de dónde ir. Por eso, el director les recomendó que fueran a ver a un agente de viajes: "Quiero que vayan a una agencia de viajes inmediatamente". El vicedirector estuvo de acuerdo: "No creo que sea una mala idea. Dudo de que ustedes quieran morirse de frío en el viaje. No creo que sea conveniente ir a un lugar helado, aunque haya muchos animales exóticos". Finalmente, los chicos decidieron ir a ver al agente de viajes y así se lo informaron al director, que respondió contento: "Espero que tengan dinero suficiente para ir a una playa del Caribe. Quiero que vayan a un lugar donde hace calor todo el año. Espero que tengan suerte y vayan a la playa todos los días". El agente de viajes de Yaak, Montana, les recomendó que fueran al Triángulo de las Bermudas, donde siempre hace calor. "No creo que sea un lugar muy turístico, aunque probablemente haya muchas muchachas hermosas".

"Dudo de que quiera ir a un lugar muy turístico", dijo uno de los muchachos que quería conocer chicas en el viaje. "No creo que ver muchas muchachas sea un problema", dijo el segundo. "Iré aunque haya muchas personas", dijo el tercero. ¡Obviamente si había muchachas hermosas, no había problema! En realidad, sí había uno: El único problema era que un viaje al Triángulo costaba $ 1.500,23 por cada uno. Cuando escucharon el precio, ¡se asustaron! Pero, como hacía muchísimo frío en Yaak, Montana y tenían ganas de viajar a un lugar caluroso y con muchas muchachas, le pagaron al agente de viajes $4.500,69.

"Espero que tengan un viaje fantástico", dijo el director al despedirse y les recomendó que fueran todos los días a la playa. "Quiero que vayan a tomar sol, aunque haya muchas fiestas a la noche", les dijo el vice-director y les recomendó que fueran a nadar todos los días.

En camino al puerto, uno de los muchachos dijo: "¡Este viaje es muy caro! Espero que haya camarotes lujosos[1] ". Los otros dos, estuvieron de acuerdo. El segundo estudiante dijo: "¡Este viaje es muy caro! Dudo de que quiera pagar y no disfrutar. Espero que haya muchas fiestas". Los otros dos muchachos estuvieron de acuerdo. El tercer estudiante dijo: "¡Este viaje es muy caro! No creo que la comida sea mala. Espero que haya mucha comida".

Cuando llegaron al puerto, el crucero no era un crucero. Era un bote salvavidas. Los 57 pasajeros no estaban en un crucero. Los 57 pasajeros estaban en un bote salvavidas. Sin embargo, ninguno de los tres estudiantes dijo: "No creo que este bote sea cómodo", ni "No creo que este bote sea seguro". Nadie dijo tampoco: "No creo que este bote sea lujoso". ¡Los otros 54 pasajeros eran chicas hermosísimas! "¡No dudo de que quiera quedarme!", dijo el primer estudiante. "Haré este viaje, aunque no haya **camarotes lujosos**[2]", dijo el segundo. "Quiero que vayamos al Triángulo de las Bermudas, ¡ya!", gritó el tercero. ¡Los estudiantes se subieron al bote salvavidas y se divirtieron muchísimo durante una semana! ¡Qué bueno!

[1]**graduation trip** [2]**luxury cabins**

Da tu opinión

1. ¿Irías de vacaciones en un bote salvavidas con tus padres, con 54 actores y actrices famosos o con tus amigos? Explícalo.

2. ¿Qué actividades te parece que hicieron los chicos? ¿Pescaron? ¿Nadaron? etc.? Explícalo.

3. Si hubieras sido uno de los chicos, ¿habrías pedido un descuento al agente al volver? Explícalo.

4. Si tuvieras que organizar un viaje de egresados para ti y tus amigos, ¿adónde te gustaría ir? ¿Cuándo irías y cuánto tiempo te quedarías?

Versión #2 del Mini-cuento D: Punto de vista

√ E-mail #1: Uno de los chicos le escribió un mail a su primo en Paraguay contándole toda la historia. Complétala con los verbos de la lista.

nos asustamos	**decidimos**	**fuimos**	**llegamos**
nos esperaba	**buscábamos**	**nos costó**	**estábamos**
teníamos	**discutimos**	**pagamos**	**nos subimos**

Para: estebansanchez@yahoo.com.py
Añadir Cc I Añadir CCO
Asunto: mi viaje de egresados
Adjuntar un archivo
Fecha: 7 junio, 2007 8:05:59 AM MST
De: franciscofuentes@gmail.com

Querido Esteban:

Acabo de volver de mi viaje de egresados. Fue muy particular y te contaré por qué: Dos amigos y yo (1) _______________un buen crucero para nuestro viaje de egresados. Como en Montana hace mucho frío, (2) _______________viajar al Triángulo de las Bermudas, donde siempre hace calor.

Como te imaginarás, (3) ___________________ tan cansados del frío que cuando (4) _______________ a la agencia y el agente nos dijo que (5) _______________ que pagar $ 1500,23 cada uno, (6) _______________ pero no (7) _______________el precio. A pesar de que el viaje (8) _______________ un ojo de la cara, lo (9) _______________ (aunque Bernardo tuvo que pedirle $ 497.42 a sus padres porque no tenía suficiente dinero).

Cuando (10) _______________al puerto, (11) _______________ otra sorpresa: ¡Un bote salvavidas con 54 chicas hermosísimas que también iban de viaje de egresadas! A pesar de que el bote no era muy seguro, (12) _______________ rápidamente para ir al Triángulo cuanto antes. Bueno, mi madre está llamando... Hasta pronto-

Cariños,
Fran

√ E-mail #2: Ayuda a Francisco a escribir su segundo mail, contándole a su primo qué hicieron en el Triángulo. Escríbelo en otra hoja si necesitas más espacio.

____

____

____

____

____

____

Sobre la historia

√ Cuando volvieron de viaje, los tres estudiantes se reunieron con sus amigos para contarles acerca de su viaje. Estas son algunas de sus preguntas. Contéstalas como si fueras uno de los estudiantes.

1. ¿Por qué querían Uds. hacer un viaje? (queríais vosotros)

2. ¿Por qué decidieron ir al Triángulo de las Bermudas? (decidisteis vosotros)

3. ¿Adónde fueron a buscar información? (fuisteis vosotros)

4. ¿Cómo se sintieron cuando escucharon el precio del viaje? (os sentisteis/escuchasteis)

5. Cuando llegaron al puerto y vieron el bote, ¿qué hicieron? (llegasteis, hicisteis)

Nota Cultural: En España, **no** se usa ustedes para *'you pl. familiar'*. Se usa vosotros, salvo en Canarias. La forma de vosotros está escrita en paréntesis después de cada pregunta.

Mini-lectura cultural: El Triángulo de las Bermudas

Los misterios siempre atraen a curiosos e investigadores, especialmente si aún no se ha encontrado una respuesta o una explicación. Tal es el caso de la zona conocida como el Triángulo de las Bermudas, situada entre las costas de Florida, Puerto Rico y el Archipiélago de las Bermudas. Durante años el lugar ha sido investigado a causa de muchas desapariciones de barcos y aviones. Una de las tantas explicaciones que circulan es que allí existe una puerta para ir a otro mundo. Otra investigación afirma que es el lugar donde se encuentra hundida la mítica ciudad perdida de la Atlántida.

Más allá de tantas teorías y del temor de pilotos de aviones y capitanes de barcos, las islas del archipiélago encierran un encanto muy especial. Por ello, las agencias de turismo recomiendan visitar la región, aunque dudan de que muchas personas quieran volar hasta allí. Muchos no creen que sea conveniente recorrer las islas, ni estar a pocos kilómetros de ellas. Pero para otros, estar cerca de un lugar tan enigmático resulta muy atractivo.

Otra de las leyendas que rodea a las Islas habla de un misterio más romántico que el de barcos y aviones desaparecidos. Se dice que las Bermudas son islas del amor. Por eso, el color del agua es muy especial y las playas tienen rosadas arenas. Según se cree, las parejas que se besen bajo los arcos de coral y piedra llamados Moongates tienen asegurada la felicidad y la buena fortuna. Por esa razón las islas son el destino favorito de muchas parejas.

Hay muchísimos lugares para visitar en las más de 150 islas del Archipiélago de las Bermudas y hay toda una historia que hace de ellas uno de los lugares más interesantes y atractivos del mundo. Las Islas son un centro de atención para científicos, curiosos o estudiosos de los fenómenos extraños, así como también para cientos de enamorados que quieren asegurarse el amor eterno.

El camino equivocado

El camino equivocado

Una mujer española, de Málaga, quería viajar a un lugar tropical con su esposo porque era su aniversario. Ambos querían comprar un boleto de ida y vuelta a Caracas, Venezuela, porque a ninguno de los dos les gustaba el frío y en España hace mucho frío en enero, y ese año hacía muchísimo frío. Como tenían dos semanas de vacaciones fueron a la agencia de viajes. "Buscamos un lugar donde haya playas y el clima sea cálido. Nunca hemos estado en Venezuela y nos han dicho que es hermoso. Nunca hemos tenido dinero para ir y por eso hemos esperado este viaje durante mucho tiempo", le dijeron al agente de viajes.

La mujer le tenía miedo a los aviones y nunca en su vida se había subido a un avión. Por eso, cuando el agente les recomendó que fueran en avión, la mujer le dijo: "No creo que pueda viajar en avión. No quiero que me hable del tema; quiero que me recomiende un crucero". "Dudo de que quieran hacer un viaje tan largo en barco", les dijo el agente. "Ojalá que tuviéramos otra opción", se lamentó la mujer. "Pero iremos en crucero aunque haya que estar en el barco dos semanas". "En ese caso", comentó el agente, "quiero que me esperen unos minutos. Espero que tengan todo listo para viajar. Hay un crucero que sale hoy mismo y no es caro. El único problema es que sale en dos horas". "Quiero que vayas a casa para hacer las maletas. Tienes que poner sólo trajes de baño y ropa de verano". La pareja compró dos boletos de ida y vuelta. El esposo fue corriendo a su casa y la mujer lo esperó en la agencia. El esposo volvió en media hora, y la pareja salió de la agencia y se subió al barco.

En el crucero se divirtieron mucho, pero pasaron tres semanas y aún no habían llegado a Venezuela. Un día, hizo mucho frío y nevó. ¡La mujer vio un témpano (iceberg) en el agua! Ella se asustó. "No creo que este sea el camino correcto ¿Adónde vamos?", preguntó a su esposo. "¡No hay témpanos en Venezuela!" La mujer se sintió un poco mareada y los dos estaban muy confundidos. De repente escucharon al capitán decir con voz suave:

"Estimados pasajeros, ¿han visto alguna vez un **témpano**[1] gigante? Es un espectáculo único. Ahora bien, lamento decirles que nos equivocamos de camino. En vez de Caracas vamos a La Patagonia, Argentina. ¡Esperamos que tengan chaquetas y ojalá que tengan suéteres también!" "Ojalá que tuviéramos nuestras chaquetas", pensó la mujer. "Ojalá que hubiéramos traído ropa de invierno", se quejó el esposo porque si hubiera sabido que iba a hacer tanto frío, habría traído ropa de invierno.

De repente, la mujer vio una cola enorme en el agua y se desmayó. Era una ballena hermosísima pero enorme. La ballena se hundió cerca del barco y golpeó el barco con la cola. El barco tembló y todos los pasajeros corrieron por todas partes desesperados. Algunos saltaron al agua y empezaron a nadar, pero la pareja agarró un bote salvavidas para escapar del barco y de la terrible ballena. La pareja tenía mucho frío y mucho miedo y, por eso, temblaba como hojas en el viento. Temblando y remando, remando y temblando, atravesaron el océano y llegaron a Argentina, casi muertos de frío y de susto, pero con cuerpos espectaculares de tanto remar.

[1]**ice floe**

Falso o Verdadero

√ **Escribe F o V según la historia.**

_____ 1. La mujer le tenía miedo a los aviones.

_____ 2. La mujer había viajado muchas veces en avión.

_____ 3. La pareja quería viajar a Argentina.

_____ 4. El esposo había llevado ropa de invierno.

_____ 5. Hay témpanos de hielo en Venezuela.

_____ 6. El crucero fue a La Patagonia por error.

_____ 7. La pareja tenía chaquetas.

_____ 8. Una ola enorme hundió el barco.

_____ 9. La pareja saltó al agua y comenzó a nadar.

_____ 10. La pareja remó hacia Venezuela.

Da tu opinión

√ **¿Quién pudo haber hecho estos comentarios? Escribe el nombre al lado de cada oración y explica por qué.**

1. "No nos gusta el frío". (La pareja dijo esto porque quería ir a un lugar cálido)

2. "Nunca he estado en Venezuela, pero no quiero viajar en avión".

3. "La llevaré en un crucero aunque el viaje sea largo".

4. "He encontrado un crucero muy económico. Quiero que vayan rápidamente a su casa para hacer las maletas".

5. "Este crucero es muy divertido, pero mi esposa se siente mareada".

6. "Ojalá que no se enojen conmigo cuando les diga que nos equivocamos de camino".

7. "Tengo frío, tengo miedo y no puedo parar de temblar. Y todo porque no quisiste viajar en avión".

8. "¡¿Y a estos locos qué les pasa?! ¿Hacen tanto lío porque toqué el barco con mi colita?".

9. "Siempre quise un marido musculoso y ahora lo tengo".

10. "La próxima vez iremos en avión, aunque tengo que admitir que ahora está preciosa".

Puntos de Vista:
El crucero de la vida: Versión #2

√ Completa la historia con palabras de la lista. Ten en cuenta que el narrador es la esposa y el relato está hecho desde la perspectiva de la primera persona plural (nosotros). Algunas palabras sobran.

soy - somos	quise - quiere	no tenía - no teníamos
veía - vimos	me desmayo - me desmayé	nos gustaba - le gusta
me sentí- se sintió	estaba - estábamos	vino - veníamos
pedí - pidió	nos recomendó - recomienda	subía - nos subimos
corrimos - corriste	escuchamos -escuchaban	atravesé - atravesamos
fuiste - fuimos	queríamos - quería	llegó - llegamos
busca - buscábamos	nos divertimos - se divirtió	

Mi marido y yo 1)_____________de Málaga. Un enero decidimos viajar a un lugar tropical porque era nuestro aniversario. Como no 2) _____________ el frío y en España hace mucho frío en enero, 3) _____________ a una agencia de viajes y le dijimos al agente que 4) ___________ ir a Caracas porque nunca habíamos estado allí y porque 5) ___________ un lugar tropical.

Como yo les tengo miedo a los aviones, no 6) _____________ viajar en avión. El agente de viajes 7) _______________ un crucero que salía en dos horas. Como no teníamos otra opción, le 8) _____________ a mi marido que fuera a casa para hacer las maletas. Mientras tanto, compré los boletos. A la media hora 9) ___________ mi esposo y 10) ___________ al crucero.

En el crucero 11) _____________ mucho, pero pasaron tres semanas y aún no habíamos llegado a Venezuela. Un día, hizo mucho frío y nevó. Yo me asusté tanto que 12) _______________ mareada. Los dos 13) ______________ confundidos. De repente 14) ______________ al capitán que decía que se habían equivocado de camino. En vez de Caracas, íbamos a La Patagonia, donde hace mucho frío. Mi marido y yo 15) ____________ suéteres ni chaquetas y, por eso, estábamos preocupados.

En eso, 16) _____________ una cola enorme en el agua y 17) _____________. Era una ballena enorme. La ballena se hundió cerca del barco y golpeó el barco con la cola. Los otros pasajeros y nosotros 18) _____________ por todas partes desesperados. Algunos saltaron al agua y empezaron a nadar; nosotros agarramos un bote salvavidas y empezamos a remar. Teníamos tanto frío que temblábamos como hojas en el viento. Temblando y remando, 19) ______________ el océano y 20) ______________ a Argentina. Al llegar, descubrimos que remar es muy buen ejercicio. Mi marido ahora es bien musculoso y yo tengo una silueta espectacular.

¿Qué quieres?

√ **Imagínate que buscas (en este momento) un crucero muy bueno. Lee las siguientes frases y completa cada una con tu opinión sobre el tipo de crucero que buscas.**

1. Busco un crucero que sea... ____________________
2. Ojalá que tenga... ____________________
3. Quiero que vaya a... ____________________
4. Espero que incluya... ____________________
5. Deseo que haya... ____________________

¿Qué habría pasado?

√ **Si la situación hubiera sido distinta, habrían pasado cosas distintas. Usa tu imaginación y completa las oraciones siguientes.**

1. Si hubieran viajado en avión,... ____________________
2. Si no se hubieran equivocado de camino,... ____________________
3. Si hubiera tenido más tiempo para hacer las maletas,... ____________________
4. Si la ballena no hubiera aparecido, ... ____________________
5. Si hubieran sabido que iban a equivocarse de camino,... ____________________

¿Qué harías?

√ **Lee las siguientes frases y complétalas con lo que harías o adónde irías si estuvieras en las situaciones que se describen a continuación.**

1. Si pudiera ir de vacaciones, pero sólo tuviera mil dólares, yo... ____________________
2. Si tuviera un millón de dólares, yo... ____________________
3. Si Oprah fuera mi tía, yo... ____________________
4. Si ganara un viaje a cualquier destino, yo... ____________________
5. Si sólo tuviera un día de vacaciones, yo... ____________________

Capítulo cuatro: ¡Superviviente!

Mini-cuento A

¡Qué sabroso!

había asado carne de res

habían estado al aire libre

ya habían comido

¡Me muero de hambre!

había prendido el fuego

Mini-cuento B

la tierra

un vaquero

había tenido

estaba orgulloso

era importante para él

había llevado

Mini-cuento C

nadie le había enseñado

(nunca) había comprado

quiso (pagar/cambiar)

cobrar con tarjeta
de crédito/débito

pagar (con dinero) en efectivo

el cajero había aprendido

Mini-cuento D

no tenían dónde pasar la noche

nunca/siempre lo habían hecho

tuvieron (que.../ una idea)

nunca habían trabajado

aprendieron a

iban a (dormir, etc.)

Mini-cuento A

¡Qué sabroso!	**había asado carne de res**
había estado al aire libre	**ya había comido**
¡Me muero de hambre!	**había prendido el fuego**

Había una pareja de Buenos Aires a quienes le gustaba la vida al aire libre. En realidad, ellos pensaban que les gustaba la vida al aire libre porque nunca habían estado todo el día al aire libre. Es más, nunca habían estado al aire libre más de dos horas. A la pareja, Alfredo y Ariana, que vivía en un pequeño departamento de la Avenida Corrientes, le encantaba comer carne de res. Por eso, ya habían comido carne de res muchas veces, pero nunca habían asado carne de res. Habían comido carne de res en los restaurantes de la Avenida Corrientes, habían comido carne de res en la casa de sus amigos, y también habían comido carne de res preparada en el microondas. Cuando comía carne de res, Ariana decía: "¡Qué sabrosa!". Y Alfredo pensaba en la carne de res y gritaba: "¡Me muero de hambre!".

Ni Alfredo ni su esposa, Ariana, habían asado carne de res en su vida. Tampoco habían asado nada en su vida. Nunca habían prendido el fuego para comer. El único fuego que habían prendido para comer era la cocina de su pequeño departamento de la Avenida Corrientes.

Un día, decidieron **ir de camping**[1] para poder comer y dormir al aire libre, aunque nunca habían estado al aire libre durante más de dos horas. Cuando llegaron al camping, Alfredo sacó la carne de res y gritó: "¡Me muero de hambre!" y Ariana dijo: "¡Qué sabroso!". Los esposos empezaron a prender el fuego rápidamente para asar la carne, pero el fuego no prendió. Como no podían prender el fuego, pidieron ayuda a una pareja, que acampaba cerca de ellos. Alfredo les preguntó si habían asado carne de res alguna vez. El hombre les dijo:

"Nunca. Somos vegetarianos". Alfredo comenzó a gritar desesperado: "¡Me muero de hambre!". Ariana, que estaba más calmada, les preguntó si habían prendido fuego para asar algo alguna vez. La mujer le dijo: "Nunca. Nos gusta la comida fría". Ariana y Alfredo se fueron sin resolver el problema.

Alfredo decidió llamar a su primo Nicolás desde el celular. Su primo había estado muchas veces al aire libre, y además había prendido muchos fuegos en asados familiares. También había asado carne de res muchas veces y Alfredo había comido la carne de res que Nicolás había preparado, gritando: "¡Me muero de hambre!". Ariana había comido la carne de res que Nicolás había preparado muchas veces, pensando: "¡Qué sabrosa!". Es más, mientras Alfredo llamaba a Nicolás, gritaba: "¡Me muero de hambre!". Al oírlo, Ariana decía: "¡Qué sabrosa!". Cuando Nicolás oyó que Alfredo había estado al aire libre todo el día, se sorprendió. "Primo", dijo. "No sabía que te gustaba estar al aire libre. ¿Habías estado al aire libre antes?" Alfredo le explicó que nunca había estado al aire libre, ni nunca había prendido fuego o asado carne de res. Al oírlo, Ariana pensó: "¡Qué sabrosa!" y Alfredo gritó: "¡Me muero de hambre! Y no puedo prender el fuego, así que necesito tu consejo". Nicolás se rió y le explicó que todas las veces que él había prendido el fuego y todas las veces que él había asado carne de res, había usado alcohol para prender el fuego.

Como Ariana y Alfredo nunca habían estado al aire libre, no sabían que el alcohol es un elemento muy necesario para los que van de camping y quieren prender fuego. Por eso, Alfredo se subió al auto y se fue a la ciudad para encontrar una farmacia y comprar alcohol. Como Alfredo no había estado nunca en ese lugar, no sabía dónde había farmacias. Fue a una farmacia, pero estaba cerrada. Fue a otra y preguntó: "¿Tienen alcohol? ¡Me muero de hambre y no puedo prender el fuego para asar la carne!". Pero no tenía alcohol. Así estuvo manejando durante dos horas hasta que encontró una farmacia abierta y pudo comprar el alcohol. Volvió al camping diciendo durante todo el camino: "¡Me muero de hambre!".

Mientras tanto, Ariana miraba la carne de res y decía: "¡Qué sabrosa!", mientras trataba de prender el fuego. Finalmente Ariana prendió el fuego y asó la carne de res. Cuando Alfredo llegó, Ariana no se había comido la carne de res que había asado. La carne estaba lista para comer. Alfredo la vio y dijo: "¡Me muero de hambre!". Ariana dijo: "¡Qué sabrosa!", e iba a servir la carne cuando sintieron un "Grrr" detrás de los árboles. Rápidamente se levantaron, se subieron al auto y se fueron a su departamento de la Avenida Corrientes aunque no habían comido su amada carne de res.

"¡Ven, Colita!", le dijo un chico a su perro. "¡Te ganaste un buen **pedazo**[2] de asado!". El chico y el perro se sentaron a comer. Aunque el perro era un chihuahua, gruñía como un león.

[1]**Como camping es una actividad americana, mucha gente latina usa la misma palabra en inglés. También se dice acampar, campar o ir de campamento.**

[2]**piece**

Versión #2 del Mini-cuento A

Ni bien llegaron a su casa, Ariana llamó a su mejor amiga y le contó lo que les había pasado. El teléfono suena en la casa de Susana:

Susana: ¿Hola?

Ariana: Hola, ¿Su? Soy Ari.

Susana: Hola Ari. ¿Qué haces en tu casa? ¿No te habías ido de paseo con Alfredo?

Ariana: Sí, habíamos ido de camping a un lugar cerca de Chascomús, a 200 kilómetros de Buenos Aires.

Susana: ¿Era lindo el lugar?

Ariana: Espectacular. Pero no sabes lo que nos pasó.

Susana: Espera que bajo el volumen de la tele... Bueno, ¡cuéntame!

Ariana: Como ni Alfredo ni yo nunca habíamos estado al aire libre, nos fuimos a acampar al bosque. Fuimos al "súper", compramos una carpa, bolsas de dormir y carne para asar. Cargamos todo en el auto y nos fuimos.

Susana: ¿Carne de res? ¿Habían asado carne de res alguna vez?

Ariana: No, ni habíamos asado carne de pollo ni carne de cerdo, pero pensábamos que era muy fácil. El problema fue que no teníamos alcohol para prender el fuego.

Susana: ¿Y qué hicieron?

Ariana: Alfredo fue a buscar una farmacia, pero como nunca habíamos estado en ese lugar, no sabía dónde había una. Entonces, tardó muchísimo. Cuando llegó, yo ya había prendido el fuego.

Susana: Y... ¿cómo te salió el asado?

Ariana: ¡Ni me hables! Cuando íbamos a comer, vimos un animal enorme... posiblemente un oso o un jaguar entre los árboles. Lo oímos gruñir y nos subimos al auto lo más rápido posible y nos vinimos.

Susana: Pero... ¿hay osos en Chascomús?

√ Ordena la historia.

______ a.) Alfredo y Ariana fueron al supermercado.

______ b.) Ariana le contó a Susana lo que pasó en el viaje.

______ c.) Ariana le contó a Susana que se iba a ir de viaje con Alfredo.

______ d.) Alfredo compró alcohol en la farmacia.

______ e,) Ariana y Alfredo volvieron a la casa.

______ f.) Alfredo y Ariana se fueron a Chascomús.

______ g.) Ariana asó la carne de res.

______ h.) Susana bajó el volumen de la tele.

Da tu opinión

1. ¿Por qué Susana le preguntó si había osos en Chascomús?
2. ¿Qué te parece que le contestó Ariana?
3. ¿Realmente vio un animal o lo imaginó?
4. ¿Qué habrías hecho tú en esa situación?
5. Si alguien te contara una historia similar que pasó cerca de tu casa, ¿le creerías? Explícalo.

Otra llamada

√ Alfredo también llamó a un amigo, pero como no le quería decir que se había asustado, le contó una historia un poco distinta. ¿Qué te parece que le dijo? Escribe una pequeña conversación entre Alfredo y el amigo.

Un poco de gramática:
Pluperfect (Past perfect) tense: *"había + verb: ado/ido"*

"Había" constructions are used to indicate events that occurred in the past, before another action in the past. These constructions are used to describe what someone 'had done' ("*había hecho*"). Its use in Spanish is similar to its use in English. See the following examples:

	Yo...
I had gone	había ido
I had been	había sido / estado
I had been waiting	había estado esperando
I had seen	había visto
I had met her before	la había conocido
I had not realized	no me había dado cuenta

√ ¿Qué habían y no habían hecho Alfredo, Ariana y Susana antes del viaje? Escribe "habían" o "no habían" en los espacios en blanco.

1. Ariana y Susana _______________ hablado por teléfono acerca del viaje.
2. Alfredo y Ariana _______________ comprado un equipo para acampar.
3. Alfredo y Ariana _______________ estado en Chascomús.
4. Alfredo y Ariana _______________ comido carne de res.
5. Alfredo y Ariana _______________asado carne de res.

√ Contesta las siguientes preguntas según tu propia experiencia y conocimiento. Contesta con *"sí, había... o No, no había..."*

6. Antes de entrar a la escuela secundaria, ¿habías conocido a tu mejor amigo(a)?

7. ¿Habías escuchado música latina antes de tomar la clase de español?

8. Antes de ser presidente, ¿había trabajado en la política George Bush?

9. Antes de ser arrestado por un robo armado, ¿había sido arrestado O.J. Simpson?

10. Antes de estudiar español, ¿habías ido a un país donde se habla español?

√ Inventa dos preguntas usando *había...*

1.

2.

Mini-lectura cultural: Un ritual argentino- El asado

El asado es una comida tradicional Argentina y, por cierto, muy sabrosa. Es una actividad que se realiza generalmente al aire libre e implica todo un ritual. Muchas casas argentinas, principalmente las que tienen jardín, cuentan con una **parrilla**[1] hecha de ladrillo, donde se hace el asado. Si no hay jardín, es en el patio; y si no hay patio, en un balcón grande. El "asador", o cocinero, empieza por prender el fuego con muchas ramas secas encima de hojas de diario para facilitar su tarea. Después se colocan trozos de madera dura, o **carbón**[2] y se hace una pequeña hoguera. Después de un rato las llamas se extinguen y la carne se cocina lentamente sobre las rojas y pequeñas **brasas**[3]. Se asa carne de res, de cerdo, o cordero; y aunque la frase popular diga: "Todo bicho que camina va a parar al asador", la carne de res es la más popular. En un poco más de una hora, se logra un asado bien dorado y crocante.

El rito del asado del domingo o de cualquier día constituye parte del folklore argentino. La carne "a la parrilla" es una de las costumbres más tradicionales del país. Se preparan asados en muchas ocasiones: casamientos, cumpleaños, reuniones de amigos o familiares y fiestas tradicionales. En reuniones sociales, los amigos acompañan al asador, que siempre es hombre, mientras que las mujeres preparan las ensaladas. Sentados o de pie, comen el asado a veces con cuchillo y otras con las manos. Después, se pide un aplauso para el asador.

Hay muchas estancias de Buenos Aires donde, además de pasar un día al aire libre, los turistas montan caballos y disfrutan de un asado tradicional. Quienes no tienen tiempo para ir a las estancias, pero ya han estado en Buenos Aires, y ya han comido carne asada, se conforman con comer asado en restaurantes tradicionales. Algunas "parrillas", o restaurantes de asado, son caros y lujosos; pero otros, no.

Sin embargo, el asado más sabroso es el más sencillo. No se prepara ni en un restaurante ni en una estancia, sino que lo preparan los **obreros**[4] mientras están trabajando en un edificio o en la calle. Ahí la parrilla es apenas una red de **alambre**[5] y cuatro ladrillos que ponen en el suelo para poner unos trozos de carne encima cuando el fuego está listo. El aroma de la carne de res sube hasta las oficinas cercanas, desde donde los empleados y jefes piensan: "¡Nos morimos de hambre! ¡Ojalá que pudiéramos comer un poquito".

[1]grill **[2]coal** **[3]embers** **[4]workers** **[5]mosquito net**

Para más información acerca del asado argentino, visita las siguientes páginas de la web: www.pasqualionet.com.ar; www.lanacion.com; www.flolkloredelnorte.com.ar

Da tu opinión

1. ¿En qué se parecen el asado argentino y el "barbecue" norteamericano?

2. ¿En qué se diferencian?

3. ¿Alguna vez comiste o preparaste asado argentino? Explícalo.

Mini-cuento B

la tierra	un vaquero	había tenido
estaba orgulloso	era importante para él	había llevado

En un rancho cerca de Santiago de Chile, había un vaquero que se llamaba Pancho. Pancho era dueño de un rancho especial: era un rancho de **césped sintético**[1]. Él estaba orgulloso de tener el único rancho en el mundo completamente de césped sintético. Tener ese rancho era muy importante para él. Era importante porque su esposa era tan alérgica a la tierra que no quería lavar ropa con tierra ni quería encontrar botas con tierra. Cada vez que olía tierra, se sentía mareada y temblaba de frío. Cada vez que veía mucha tierra, gritaba como loca. Era importante para ella vivir una vida sin tierra. El vaquero la había llevado a muchos médicos: la había llevado a especialistas en alergia y la había llevado a dermatólogos famosos. Pancha, la esposa de Pancho, había tenido que probar muchos tratamientos, pero ninguno había tenido éxito. Por eso, era importante para Pancho tener un rancho con césped sintético y era importante para ella quedarse en el rancho de césped sintético.

Tener ese rancho era muy importante para el vaquero por otra razón. Él era un vaquero muy capaz y había ganado muchas competencias en los rodeos. Cuando era joven, su padre lo había llevado a muchos rodeos y él había tenido mucho éxito en todos. El padre de Pancho lo había llevado a rodeos desde que era muy chico. No sólo lo había llevado para ver el rodeo sino también para participar. El vaquero podía montar un toro feroz durante 1.1 segundos sin caerse y estaba muy orgulloso de ello. Sus padres estaban muy orgullosos de él. Toda la familia estaba muy orgullosa de él.

El vaquero y su esposa tenían un hijo que se llamaba Andrés. Andrés también era muy buen vaquero y todos en el rancho estaban muy orgullosos de él. Andrés podía montar un toro feroz durante 1.2 segundos sin caerse y estaba muy orgulloso de ello. Sin embargo, Andrés nunca había tenido la oportunidad de participar en un rodeo. Tampoco había tenido la oportunidad de ver un rodeo. A muchos vaqueros los habían llevado a ver rodeos pero a Andrés, no. Algunos vaqueros habían tenido la posibilidad de participar en un rodeo pero Andrés, no. El padre de Andrés no había llevado a Andrés a ver ningún rodeo ni tampoco había llevado a Andrés a participar en ningún rodeo.

Ir a un rodeo era importante para Andrés; era uno de los sueños que siempre había tenido. Si era tan buen vaquero, ¿por qué su padre no lo había llevado nunca a ver un rodeo? ¿Y por qué nunca había tenido la oportunidad de participar en un rodeo? Esta pregunta se la hacían Andrés y otros vaqueros del rancho.

Un día, hubo un gran rodeo en un rancho vecino. Andrés le pidió a su padre que lo llevara y le hizo ver que era muy importante para él participar del rodeo. El padre le dijo que sí pero con una condición: Andrés tenía que usar bolsas de nylon en todo el cuerpo. Era una condición ridícula, pero como nunca había tenido la posibilidad de ir a un rodeo, Andrés aceptó. Andrés se vistió y su padre le puso las bolsas de nylon para protegerlo de la tierra. Orgulloso de su trabajo, el padre llevó a su hijo al rodeo.

Cuando llegaron al rodeo, se sentaron en un lugar con poca tierra. En pocos minutos empezaron a llegar los vaqueros para ver el rodeo. El padre, muy orgulloso, le presentaba su hijo a cada vaquero que llegaba: "Este es mi hijo, Andrés, de quien estoy muy orgulloso". Algunos le preguntaban por qué no lo había llevado antes y otros le preguntaban a Andrés si había tenido la posibilidad de participar en un rodeo. Entre preguntas y respuestas, el padre se olvidó de Andrés y de la tierra, y Andrés se escapó y se fue a competir con los otros vaqueros.

Ese día, el rodeo era para ver quién se caía más rápido del toro y quién tenía más tierra en la ropa. Comenzó el rodeo y el padre del vaquero se dio cuenta de que su hijo no estaba con él. ¿Pero dónde estaba? De repente, oyó el nombre de su hijo en el **altoparlante**[2]. Cuando vio que Andrés salía a competir, casi se desmayó. Para participar, Andrés se había tenido que sacar las bolsas de nylon que había llevado. Andrés se subió al toro. En medio segundo, el toro casi lo tiró. Las botas del vaquero tocaron la tierra, pero el vaquero no se cayó. En medio segundo más, el toro tiró al vaquero y **lo hizo rodar**[3] por la tierra. El vaquero estaba muy orgulloso: tenía tierra en la boca, tenía tierra en la ropa, tenía mucha tierra en las orejas y en el pelo. Andrés tenía 37 kilos de tierra.

En el rodeo, Andrés ganó dos premios: el de caerse más rápido y el de tener más tierra. Ganar estos dos premios en su primer rodeo fue muy importante para él ya que pudo demostrar que era muy buen vaquero. Al recibir su premio, Andrés estaba feliz y su padre, orgulloso. La mamá de Andrés no estaba contenta para nada: ¿Por qué? Porque los premios fueron: una semana en Tierra Santa para toda la familia, tres boletos de ida y vuelta para Tierra del Fuego y 50 bolsas de tierra con fertilizante para el campo.

[1]**artificial (synthetic) grass** [2]**loudspeaker** [3]**roll**

La entrevista

√ Un reportero del Canal de los Vaqueros entrevistó a Andrés para un programa de televisión chilena. Contesta las preguntas de la entrevista como si fueras él.

Reportero: Es un placer tener con nosotros a uno de los ganadores de este año. ¿Cómo se siente después de ganar dos premios?

Andrés:

Reportero: ¿En cuántos rodeos había estado antes de éste?

Andrés:

Reportero: ¡Es sorprendente! ¿Durante cuánto tiempo entrenó para participar en el rodeo?

Andrés:

Reportero: ¡Increíble! Obviamente, debe estar muy orgulloso de ganar. ¿Qué piensa de los premios?

Andrés:

Reportero: Me han dicho que su padre tiene un rancho muy especial. ¿Podría describirlo?

Andrés:

Reportero: Queridos televidentes, ¿han escuchado esto? Un rancho sin tierra... ¿A alguien no le gusta la tierra?

Andrés:

Reportero: Muchas gracias por sus respuestas. Nos vemos más tarde.

Andrés:

Da tu opinión

√ Contesta las siguientes preguntas.

1. ¿Qué te parece que hizo la mamá de Andrés cuando vio las bolsas de tierra?

2. ¿Qué hicieron Andrés y sus padres con los boletos de avión?

3. ¿Participará Andrés en otros rodeos en el futuro?

4. ¿Vivirá Andrés para siempre en el rancho de césped sintético?

Mad Lib

√ **Llena los espacios en blanco en la versión a continuación. Pide a tu compañero(a) que llene los espacios en blanco de la otra según lo especificado, para crear una versión libre del Mini-cuento B.**

susantivo = noun **adjetivo = adjective** **verbo = verb**
adverbio = adverb **número = number**

Me llamo Andrés. Estaba muy ____________ (adjetivo) porque podía ____________ (verbo infinitivo) un toro feroz durante __________ (número) segundo(s). Un día, hubo una gran competencia en un rodeo en ________________ (nombre - un lugar). Era una competencia acerca de quién podía ____________ (verbo infinitivo) más rápido que un toro. Yo ____________ (verbo) al toro. En medio segundo, el toro me ____________ (verbo) y yo tuve mucho(a) ____________ (sustantivo) en la boca, en las orejas y en el pelo. Por eso, obtuve el ____________ (número ordinal) lugar y gané la competencia. Mi padre y yo estábamos tan orgullosos que besamos el (la) ____________ (sustantivo).

¡Imagínate!

√ **Utiliza tu imaginación y contesta las siguientes preguntas.**

1. Si pudieras ser dueño(a) de un rancho, ¿qué tipo de rancho tendrías? ¿Por qué?

2. Si alguien en tu familia fuera alérgico a la tierra, ¿qué harías para evitar la tierra?

3. Si fueras alérgico(a) a tu mejor amigo(a), ¿qué harías?

4. Si hubieras sido el reportero, ¿habrías entrevistado también al padre de Andrés?

5. Si te regalan tres boletos para ir a Tierra del Fuego o para Tierra Santa, ¿adónde eliges ir? ¿Por qué? ¿Con quién vas?

Mini-lectura cultural: El rodea

El rodeo es el deporte nacional de Chile. En el rodeo, dos vaqueros montados sobre caballos chilenos deben guiar a un **novillo**[1] dentro de un círculo o medialuna hasta una zona llamada "atajada" y retenerlo allí en tres oportunidades. El rodeo es el segundo deporte más practicado, después del fútbol. Todos los años se realiza el Campeonato Nacional de Rodeo en la Medialuna Monumental de Rancagua donde los orgullosos vaqueros dan muestra de sus habilidades. Hay más de 250 clubes de rodeo que pertenecen a la Federación de Rodeo Chileno, que tiene más de 9.000 miembros.

Para un chileno, el Rodeo no es sólo un deporte, sino una tradición popular chilena que combina distintas expresiones de la cultura popular. Asistir a un rodeo es, además, una oportunidad para reunirse con amigos y familias. Muchos rodeos duran dos días, casi siempre los fines de semana y se combinan con otras actividades típicas, como ferias artesanales, **domas**[2], juegos y exposiciones de caballos. Quienes van a ver el rodeo pueden, además, comer comidas chilenas que algunos compran en el lugar mientras que otros las llevan de casa.

La temporada oficial del Rodeo es entre septiembre y abril. Durante ese tiempo, hay unas 320 competencias y un campeonato nacional. Después del campeonato, con las ropas llenas de tierra, los ganadores exhiben orgullosos a sus caballos. El caballo chileno es un caballo atlético y valiente. Esto se debe, en gran parte, a que son caballos criados en tierra montañosa.

En el **cierre**[3] de la fiesta, se corona a la "Reina del Rodeo". Las candidatas muestran los trajes típicos y, después de la votación, la "nueva reina" debe bailar una "cueca" (una danza típica chilena) con el ganador del rodeo y dar una vuelta a caballo.

El espíritu de amistad y patriotismo que se "respira" en las fiestas de los rodeos es más importante que los premios de los ganadores y ganadoras. Visitantes y participantes regresan a sus casas alegres y orgullosos después del rodeo.

[1]young bull **[2]taming / breaking in horses** **[3]closing**

Para más información acerca de rodeos, visita los siguientes sitios de internet:
www.rodeochileno.cl; http://www.familia.cl; www.wikipedia.org

Da tu opinión

Si fueras a un rodeo, ¿preferirías participar en el rodeo o sólo mirarlo? Explícalo.

Mini-cuento C

nadie le había enseñado	**(nunca) había comprado**
quiso (pagar/cambiar)	**cobrar con tarjeta de crédito/débito**
pagar (con dinero) en efectivo	**el cajero había aprendido**

Había una mujer que se llamaba Sally J. Sally J. nunca había comprado nada en una tienda cara. Sally **había ido**[1] a California y había estado en las tiendas de Rodeo Drive, pero nunca había comprado nada allí. Sally había ido a Madrid (España) y había estado en el **Corte Inglés**[2], pero nunca había comprado nada. Sally había ido de viaje a Lima y había estado en **Larcomar**[3], pero tampoco había comprado nada allí. Sally había ido a Rodeo Drive muchas veces y había estado en las tiendas de Rodeo Drive, pero nunca había comprado nada allí. Había comprado ropa en tiendas comunes y había comprado ropa en supermercados, pero nunca había comprado ropa en una tienda cara.

Un día, Sally quiso cambiar su forma de vivir. Para eso, quiso cambiar su aspecto. Quiso cambiar su ropa, quiso cambiar sus zapatos y quiso cambiar su peinado. Por eso, decidió ir a una tienda cara de Rodeo Drive, adonde ya había ido, pero donde nunca había comprado nada, y comprar zapatos caros. En la tienda, encontró un par de zapatos que costaban $220. Se los probó y le quedaban perfectos, así que quiso pagarlos rápidamente. Entonces, fue a la caja y quiso pagar con tarjeta de crédito. Por eso, le dio su tarjeta de crédito a la cajera.

La cajera era nueva y nunca había aprendido a cobrar con tarjeta de crédito. Tampoco había aprendido a cobrar con tarjeta de débito. Antes de ese trabajo, la cajera **había visto**[4] tarjetas de crédito Visa y había visto tarjetas de crédito American Express. La cajera tenía cinco tarjetas de crédito con las que había comprado muchas veces, pero nunca había aprendido a cobrar con tarjeta de crédito ni había aprendido a cobrar con tarjeta de débito. Nunca había aprendido a cobrar con tarjeta de crédito porque nunca nadie le había enseñado cómo cobrar con tarjeta. Le habían enseñado a usar la computadora y le habían enseñado a usar el lector de precios. Le habían enseñado a hablar como cajera y le habían enseñado a vestirse como cajera. Le habían enseñado muchas cosas para ser una buena cajera, pero nadie le había enseñado a cobrar con tarjeta de crédito ni de débito. La cajera no quería que nadie se diera cuenta de que no sabía cobrar con tarjeta. Por eso, cuando vio la tarjeta American Express, la cajera le dijo a Sally: "Lo siento, pero hoy no aceptamos American Express". Entonces, Sally quiso pagar con su tarjeta de crédito Mastercard y la cajera le dijo: "Lo siento, pero hoy no aceptamos Mastercard". Después, Sally quiso pagar con su tarjeta de débito, pero la cajera le dijo: "Lo siento, pero sólo aceptamos tarjetas de débito los jueves. Hoy es sábado así que debe pagar en efectivo". A la cajera nadie le había enseñado a mentir como cajera, pero lo hacía muy bien.

Desesperada, Sally buscó el dinero que siempre llevaba por si necesitaba pagar algo en efectivo. Buscó el efectivo en su cartera, pero no estaba. Buscó el efectivo en el piso de la tienda, pero allí no estaba. Buscó efectivo en la calle, pero allí no estaba. Fue hasta su auto y buscó efectivo en el auto, pero no tenía. Buscó efectivo en sus bolsillos, pero no tenía. Buscó efectivo en sus zapatos, pero no tenía tampoco. Sally agarró su celular y llamó a su marido: "Esteban, necesito efectivo urgentemente. Tráeme algo de efectivo". "No tengo efectivo en casa", le dijo el marido. "Anda al cajero automático, saca $ 300 en efectivo y tráemelos. Por favor, es urgente". Esteban fue a un cajero automático, y quiso sacar dinero en efectivo, pero no había. Fue a otro cajero y quiso sacar dinero en efectivo, pero no pudo porque el cajero estaba **fuera de servicio**[5]. Finalmente, Esteban encontró un cajero que tenía efectivo, pero tuvo que hacer una cola de 200 metros.

Mientras tanto, otra mujer que se llamaba Oprah llegó a la tienda. Oprah vio los zapatos, y mientras Sally esperaba la llegada de Esteban con el efectivo, Oprah se los probó. Le quedaban muy bien y Oprah los pagó en efectivo. Cuando llegó Esteban con el efectivo, ya era demasiado tarde. Sally se enojó muchísimo y decidió que no era el momento de cambiar su estilo.

[1]had gone **[2]English shopping area in Madrid** **[3]high-end shopping mall in Lima**
[4]had seen **[5]out of order**

√ ¿Qué habían hecho? Escribe 5 ejemplos en cada columna.

Sally había comprado...	**La cajera había aprendido...**
________________	________________
________________	________________
________________	________________
________________	________________
________________	________________

¿Qué pasó en la historia?

√ Contesta las preguntas.

1. ¿En qué tipo de tiendas había comprado ropa Sally?

2. ¿Por qué no compró los zapatos?

3. ¿Por qué no pudo pagar con tarjeta de crédito Sally?

4. ¿Por qué se llevó los zapatos otra mujer?

5. ¿Se probó Oprah los zapatos?

√ ¿Qué opinas? Completa utilizando tu imaginación.

1. Sally nunca había comprado en una tienda cara porque ...

2. Sally quiso cambiar su vida porque ...

3. La cajera no quería que nadie se diera cuenta de que no había aprendido a cobrar con tarjeta de crédito porque...

4. En un cajero había 200 metros de cola porque...

√ ¿Qué hubieras hecho tú? Lee las oraciones y decide con cuáles estás de acuerdo y con cuáles no. Explica por qué.

1. Si (yo) hubiera sido la cajera, habría guardado los zapatos hasta que Sally viniera con el dinero.

2. Si me hubiera pasado lo que le pasó a Sally, habría escrito una carta al dueño para que despidieran a la cajera.

3. Si hubiera estado en el lugar de Esteban, habría ido primero a la tienda para ver qué le pasaba a mi esposa.

Mini-cuento C: Otro punto de vista

La cajera estaba muy triste con la situación. Cuando llegó a la casa, le escribió un mensaje (por correo electrónico) a su amiga, contándole lo que le había pasado.

√ Escribe el 'email' como si fueras la cajera y explica lo que te había pasado.

Para: susanabanana@gmail.com
Añadir Cc I Añadir CCO
Asunto: mi trabajo nuevo
Adjuntar un archivo
Fecha: 10 agosto, 2007 8:30:59 PM MST
De: elianacajera@yahoo.com

Hola, Su. ¡Tanto tiempo! Finalmente, terminé el programa de entrenamiento en mi nuevo trabajo en el negocio de Rodeo Drive. Hoy empecé a trabajar como cajera. ¡Qué día! No me fue muy bien. Vino una cliente que quiso comprar un par de zapatos...

____

____

____

____

____

____

____

____

____

____

____

____

____

____

Mini-lectura cultural: Centro Comercial Larcomar

Contemplar el Océano Pacífico en Lima, Perú, es un bonito espectáculo. Mirar el sol ocultándose en el océano, sentado en un restaurante sobre un **acantilado,**[1] en el distrito de Miraflores, es un privilegio.

En ese **paisaje**[2] se encuentra el Centro Comercial más moderno y grande de Lima, Larcomar, un espacio donde se conectan la ciudad y el mar. Después del impacto que causó la construcción de este centro comercial donde antes había un hermoso parque y de las protestas de las organizaciones protectoras del medio ambiente, Larcomar se ha convertido en un lugar de entretenimiento, un paseo turístico y por supuesto, un desafío a la arquitectura moderna.

Muchos de los quinientos mil turistas que visitan Lima también van a este Centro Comercial atraídos por el complejo de tiendas, entretenimientos, cines, teatros y discotecas que hay allí. Al preguntar a los visitantes si habían comprado antes en un lugar como este contestan que no, que nunca habían comprado en un lugar tan especial y es evidente el entusiasmo que tienen al salir **cargados de regalos**[3] pagados con tarjetas de crédito. Los que ya habían comprado en otra oportunidad traen algo de dinero en efectivo para obtener un importante descuento.

Nadie les ha enseñado a los turistas a conseguir descuentos en Larcomar, pero los dueños de las tiendas han aprendido que buenos precios y calidad atraen a los clientes, quienes regresarán al día siguiente si le hacen un descuento en su compra. Los dueños ofrecen descuentos a quienes pagan en efectivo; los cajeros recomiendan esta forma de pago y el Centro comercial completa la oferta con cajeros automáticos, casas de cambio de moneda extranjera y servicio de envío de dinero. Los artículos preferidos son generalmente artesanías en alpaca, joyas y ropa.

Después de un día de compras, los turistas visitan la Sala-Museo Oro del Perú donde pueden ver piezas de oro, metales y otros objetos precolombinos del Perú que están expuestos en ese Museo. Por último, muchos de los visitantes se sientan a saborear comidas típicas del Perú y, al mismo tiempo, disfrutar de una vista panorámica del mar.

[1]cliff **[2]landscape** **[3]carrying packages/ weighed down with packages**

Para más información acerca del centro comercial Larcomar, visita los siguientes sitios de internet: http://www.peruinside.com/sp/contents/images5; http://moleskinearquitectonico.blogspot.com; www.larcomar.com

¿Qué opinas?

1. Si estuvieras en Lima durante tres días, ¿irías a Larcomar?

2. Si compraras regalos allí, ¿pagarías con tarjeta o en efectivo?

Mini-cuento D

no tenían dónde pasar la noche	**nunca/siempre lo habían hecho**
tuvieron que... / tuvieron una idea	**nunca habían trabajado**
aprendieron a	**iban a... (dormir, etc.)**

Había una vez diez amigos vagabundos que vivían en la calle. Los amigos nunca habían trabajado en el campo, nunca habían trabajado en la ciudad ni tampoco habían trabajado en un lugar público. Los amigos nunca habían trabajado en una empresa, nunca habían trabajado al aire libre ni tampoco habían trabajado en una oficina. Como no sabían manejar, tampoco habían trabajado de chofer de taxi o de bus. Siempre decían que, en su vida, sólo habían trabajado como vagabundos (Obviamente, eso lo decían riendo porque "vagabundo" no es una profesión, o quizás, lo decían para no decir que nunca habían trabajado de nada). Por eso, muchas veces no tenían dónde pasar la noche, pero no se preocupaban.

Si no tenían dónde pasar la noche en invierno, hacían lo que siempre habían hecho en invierno: iban a pasar la noche debajo de la autopista, y dormían todos juntos para darse calor. Si no tenían dónde pasar la noche en primavera, hacían lo que siempre habían hecho en primavera: iban a pasar la noche al parque porque estaba lleno de flores. Si no tenían dónde pasar la noche en verano, hacían lo que siempre habían hecho en verano: algunas noches iban a dormir a la orilla del lago cerca del parque porque allí hacía un poco de frío y otras noches, iban a dormir a la esquina de las calles 138 y 139, donde había una brisa fresquita. Algunas veces, cuando hacía mucho frío y no tenían dónde pasar la noche, hacían lo que siempre habían hecho cuando hacía mucho frío: iban a juntar madera y hacían una **fogata**[1] en alguna calle angosta. Sin embargo, esto último lo hacían **de vez en cuando**[2] porque cuando los vecinos veían la fogata hacían lo que siempre habían hecho: iban a quejarse a la estación de policía.

Aunque nunca habían trabajado, los diez vagabundos nunca habían tenido que pedir dinero ni nunca lo habían hecho. En realidad, nunca habían hecho muchas cosas. Nunca habían asado carne de res y nunca habían estado en un restaurante elegante -habían estado en la puerta de un restaurante elegante y habían comido comida que les habían dado en el restaurante, pero nunca habían estado dentro de un restaurante elegante. Obviamente, los vagabundos no llevaban ropas elegantes ni nunca lo habían hecho. Tampoco compraban za-patos elegantes ni nunca lo habían hecho.

Un día de mucho frío, pidieron dinero todo el día para tener dónde pasar la noche. Como hacía tanto frío, la gente **se compadecía**[3] de los vagabundos que no tenían dónde pasar la noche y les daban una moneda. Al final del día, los vagabundos tenían 10 dólares cada uno. Como nunca habían tenido tanto dinero, no sabían qué iban a hacer con él. Primero tuvieron una idea: compraron una **carpa**[4] para tener dónde pasar la noche. La idea que tuvieron fue muy mala porque como ninguno de ellos había hecho una compra importante en un supermercado, compraron una carpa de muy baja calidad. Por eso, cuando iban a armar la carpa, ésta se rompió. Ese día, aprendieron que en el futuro iban a tener que elegir mejor las carpas. También aprendieron que las carpas de mala calidad se rompen.

Como les quedaba algo de dinero, tuvieron otra idea: fueron al supermercado y compraron 150 cajas de sopa instantánea. En realidad, tuvieron una idea muy mala porque como nunca habían hecho sopa, no sabían que iban a necesitar agua caliente. Los vagabundos no tenían agua caliente y por eso tuvieron que tomar la sopa fría. Después de tomar la sopa, tuvieron frío. No sabían qué iban a hacer con el dinero que les quedaba y lo contaron: ¡Sólo les quedaban 10 centavos a cada uno! Era tan poco el dinero que no iban a poder comprarse nada. Entonces, tuvieron una idea fantástica. Era la mejor idea de todas las que habían tenido. Hicieron algo que nunca habían hecho: Compraron un **billete**[5] de lotería. Esa noche, ellos ganaron el premio gordo de 55 millones de dólares.

Estaban tan contentos que decidieron hacer cosas que nunca habían hecho. Fueron a una tienda y se compraron un esmoquin cada uno. Después, se pusieron los esmóquines, se fueron al Hotel Ritz y pidieron 10 habitaciones. Hicieron una fiesta e invitaron a todas las personas que conocían. ¡Festejaron durante un mes! Al final del mes, se quedaron sin un centavo y tuvieron que salir del hotel. Ese día aprendieron muchas cosas: primero, aprendieron que es lindo tener dónde pasar la noche; después aprendieron que es bueno tener dinero, pero que no es tan malo no tenerlo. También aprendieron cómo es dormir en camas lujosas y estar en hoteles lujosos. Por último, aprendieron que no se pueden hacer fiestas todos los días sin gastar rápidamente el dinero. Nuevamente durmieron en la calle, en frente del hotel Ritz.

[1]bonfire **[2]from time to time (once in a while)** **[3]were compassionate/sympathized with**
[4]tent **[5]ticket (also '*boleto*')**

En sus zapatos...

√ Escribe tres cosas que habrías hecho con el dinero si hubieras ganado el premio gordo.

1.

2.

3.

√ Un periodista local entrevistó a dos de los ganadores del premio gordo. Lee las siguientes entrevistas y sigue las instrucciones.

Entrevista a Julián Alvarez

√ Contesta como si fueras uno de los vagabundos y recién hubieras ganado el premio.

PERIODISTA: Buenas noches. Mi nombre es... y soy periodista de EL DIARIO DE LA CALLE. ¿Podríamos hacerte algunas preguntas?

JULIAN: ______________________________

PERIODISTA: ¿Qué hiciste al descubrir que ganaste?

JULIAN: ______________________________

PERIODISTA: ¿Qué harás con el dinero que ganaste?

JULIAN: ______________________________

PERIODISTA: ¿Es cierto que nunca has trabajado?

JULIAN: ______________________________

PERIODISTA: ¿Te parece que tu forma de vida va a cambiar a partir de hoy?

JULIAN: ______________________________

PERIODISTA: Bueno. Muchísimas gracias.

Entrevista a Ernesto Lagunas

√ Completa la noticia con lo que tú hubieras dicho si fueras uno de los vagabundos después de haber gastado todo el dinero.

De vagabundo a Millonario: Historias reales
Diario de la Calle, 7 de agosto de 2007

Esta es una historia de no creer. Hace dos semanas, Ernesto Lagunas dormía en la calle. Unos días más tarde, él y sus compañeros pasaron unos días en la suite presidencial del Ritz. Hoy, después de haber gastado todo el dinero que ganaron en el premio gordo, vuelven a dormir en la calle.

Ernesto Lagunas es uno de los 1.)________________ que ganaron el premio gordo hace diez días. Le preguntamos cómo se sentía después de haber ganado un premio tan importante y nos confesó que se sentía un poco 2.)________________. Además, nos confesó que nunca había trabajado y cuando le preguntamos por qué, admitió que 3.)______________________________. Respecto al dinero, Ernesto piensa que 4.)______________________________. En cuanto a dormir en una cama lujosa del Ritz, Ernesto nos dijo que 5.)______________________. Según Ernesto, él y sus compañeros aprendieron mucho de su experiencia: aprendieron 6.)_______ ____.

Un poco de gramática: Compartiendo experiencias

√ Lee las siguientes oraciones y completa con "había" o "no había". Da más información y explica tus respuestas.

1. Antes de empezar este curso, yo ____________________ estudiado español.

____

2. Antes de la clase de hoy, yo ____________________ utilizado la palabra "había".

____

3. Yo ____________________ estado en el lugar donde pasé mis últimas vacaciones.

____

4. Antes de este año, yo ____________________ asistido a esta escuela.

____

5. Compara tus respuestas con la de uno o dos compañeros. Escribe las coincidencias utilizando "habíamos"

____

____

____

√ Lee y completa estos párrafos.

1. El mes pasado, fui a **(lugar)** ____________________ Ya había estado allí. Esta vez hice algunas actividades que ya había hecho, como **(verbos en infinitivo)** ____________________ y otras que nunca había hecho, como **(verbos en infinitivo)** ____________________.

2. **(adverbio de tiempo)** ____________________ comí **(comida)** ____________________, una comida que nunca había comido antes. La comida fue **(adjetivo)** ____________________ y yo me sentí **(adjetivo)** ____________________.

3. La semana pasada, fui de compras en **(lugar)** ____________________. Compré un(a) **(sustantivo #1)** ____________________, una cosa que nunca había comprado antes. Es verdad que había comprado un(a) **(sustantivo #2)** ____________________ antes, pero nunca había comprado **(sustantivo #1)** ____________________.

¿Qué habría hecho diferente?

√ Escribe una versión nueva de Mini-cuento D como si fueras uno de los ganadores de la lotería. Explica qué habrías hecho con el dinero, si hubieras ganado el premio gordo. Incluye detalles de cómo resultaría todo diferente si tú hubieras ganado la lotería. Utiliza un mínimo de 200 palabras.

Si yo fuera vagabundo y hubiera ganado el premio gordo, ...

Mini-lectura cultural: Instituciones de caridad

Es posible encontrar varios nombres para los que tienen como domicilio "la calle". Indigentes, se los llama en México o Chile; vagabundos o **linyeras,**[1] en Argentina. En muchos países, los **"sin techo**[2]**"** son considerados vagos, delincuentes, locos o peligrosos. A estas personas que, generalmente, no tienen dónde pasar la noche, se las categoriza como marginales y a veces, se les teme. Pero no siempre es así. Muchos nunca han trabajado, pero otros, involuntariamente, tuvieron que abandonar lo poco que tenían y aprender a dormir y vivir en la calle.

Si bien en Latinoamérica es donde hay más cantidad de **necesitados**[3]; en España, entre 30.000 y 40.000 personas no tienen dónde pasar la noche y tienen que dormir en la calle. Una organización española de caridad llamada *Solidarios* se ocupa de los más pobres. Generalmente hay voluntarios que colaboran con esta Institución y les brindan atención a las personas necesitadas. A muchos indigentes que nunca habían trabajado ni aprendido un oficio, miembros de las instituciones de caridad les han enseñado uno y los han ayudado a conseguir un trabajo decente que los sacó de la calle.

Algo similar ocurre en la Argentina con La Red Solidaria, una institución que conecta a personas que necesitan ayuda con la organización solidaria más adecuada para encontrar una solución humanitaria. Según la Red Solidaria, veinte mil personas viven al aire libre en la Argentina y once personas por día mueren de frío durante el invierno. Para tratar de evitar estas muertes, el Gobierno de la Ciudad de Buenos Aires construyó refugios llamados "paraderos", en los que pueden pasar la noche las personas sin techo. Los refugios están separados según sean para niños, mujeres, hombres o familias. En los "paraderos", los "sin techo" pueden dormir abrigados y comer un plato de comida caliente.

Otras instituciones de caridad en Latinoamérica están formadas por jóvenes estudiantes que ayudan a las personas de la calle. Son jóvenes que tienen una idea más clara y precisa de cómo debería cambiar la sociedad y buscan soluciones a este problema tan extendido en todo el mundo, donde el desprecio y la actitud indiferente no conducen a resolver el problema sino que lo aumentan.

[1]**bums, vagrants** [2]**homeless** [3]**needy**

Para más información acerca de este asunto, visita a los siguientes sitios de internet:
www.opinar.net; www.buenosaires.gov.ar; www.donoirione.or; www.solidarios.org;
www.redsolidaria.presencia.net

¿Qué sabes de las instituciones de caridad en tu ciudad o estado? ¿Son similares o distintas a las de Latinoamérica? Busca información y haz una comparación.

¡Superviviente!

¡Superviviente!

Cuando la mujer y su esposo llegaron a tierra firme, estaban tan orgullosos de sus cuerpos esbeltos y tan contentos porque habían llegado a tierra firme que besaron el suelo. Sin embargo, no estuvieron contentos durante mucho tiempo porque se dieron cuenta de que se habían dejado todo el dinero en el crucero. Habían estado tan desesperados por escaparse del crucero que sólo se habían llevado una tarjeta de crédito "España Express".

Caminaron durante un rato y llegaron a una estación de autobuses. El hombre pidió dos boletos para Buenos Aires y quiso pagar con su tarjeta España Express. El cajero era nuevo y no había aprendido a cobrar con tarjeta de crédito. Entonces, miró la tarjeta de crédito y respondió: "Lamento decirles que aquí no cobramos con esta tarjeta. ¿Puede Ud. pagar en efectivo?". Como no tenían dinero en efectivo, tuvieron que irse sin comprar los boletos.

La mujer y su esposo caminaron durante un rato. Tenían mucha hambre porque no habían comido nada en varios días. Iban a pensar qué hacer cuando vieron a un vaquero montado en un caballo blanco. El esposo le pidió: "Por favor, ¿nos puede ayudar señor?". La mujer le explicó que no tenían dónde pasar la noche y tampoco tenían dinero. El vaquero, que en Argentina se llama gaucho, les sonrió y les dijo: "Claro. Súbanse al caballo". Así, la pareja hizo algo que nunca había hecho: ir a un rancho argentino.

En el rancho, había un fogón (que es similar a una hoguera, pero sin muchas llamas) y algunos gauchos habían asado carne de res. El marido nunca había comido carne de res asada ni tampoco había comprado carne de res en un restaurante argentino, pero se moría de hambre. Por eso dijo: "Ay, ¡me muero de hambre!" El gaucho les ofreció un pedazo de asado. La mujer había comido carne de res una vez y no le había gustado mucho. Pero tenía hambre y, además, le habían enseñado que no es educado decir: "No me gusta" en situaciones como ésta. Ambos, comieron el asado y dijeron: "¡Qué sabroso!". Después de comer, la pareja hizo otra cosa que nunca había hecho: dormir al aire libre. La pareja había estado al aire libre muchas veces, pero nunca habían dormido al aire libre junto a un fogón.

Al día siguiente, el gaucho los llevó a Buenos Aires en su caballo. Cuando llegaron a Buenos Aires, le dijeron que no tenían dinero para volver a España y que no sabían cómo iban a volver. Sonriendo, el gaucho les respondió: "No se preocupen. Vamos a la casa de mi amiga Patricia. Ella los puede ayudar". Cuando llegaron a la casa de Patricia, ella estaba bailando tango. Patricia siempre había trabajado como profesora de baile. Por eso, cuando el gaucho le explicó la situación de la pareja, Patricia tomó de la mano al esposo y comenzó a bailar tango con él. En 5 horas, Patricia le enseñó a la pareja a bailar tango.

Al principio no bailaban muy bien, pero aprendieron fácilmente y en 10 horas bailaban como expertos. Ella les dijo: "Esta noche hay una competencia de baile. El premio gordo son diez mil dólares. Si Uds. ganan, ¡pueden volver a España!". El gaucho, Patricia y la pareja fueron a la competencia montados en el caballo. Los cuatro se divirtieron mucho durante la competencia, ¡y la pareja **salió primera**[1]! Los cuatro estaban muy orgullosos ya que ganar era importante para todos: para la pareja era importante porque podrían volver a España; para Patricia era importante porque significaba que era muy buena profesora y para el gaucho era importante porque la pareja había comido mucho asado y no habían trabajado ni un poquito para pagarse todo lo que habían comido, así que el gaucho **no veía la hora**[2] de que se volvieran a España. Los esposos aprendieron que todo tiene solución. Con el dinero que ganaron, volvieron muy felices a España. ¡Y esta vez, volvieron en avión!

[1]got the first prize **[2]couldn't wait**

√ Ordena cronológicamente.

____ A. Fueron a la casa de Patricia.

____ B. Aprendieron a bailar.

____ C. Salieron primeros.

____ D. Fueron con el gaucho a su rancho.

____ E. Caminaron hasta la estación de autobuses.

____ F. Se dieron cuenta de que no tenían dinero.

____ G. Llegaron a tierra firme.

____ H. El gaucho los llevó a Buenos Aires.

____ I. Comieron carne de res asada.

____ J. Quisieron comprar un boleto con tarjeta.

√ Relaciona los sucesos. Marca con una cruz todas las respuestas correctas.

1. ¿Qué habían hecho cuando fueron a la casa de Patricia?

_____ a. Habían estado en un crucero.

_____ b. Habían bailado tango.

_____ c. Habían llegado a la Argentina.

_____ d. Habían comprado un boleto en efectivo.

2. ¿Qué habían hecho cuando volvieron a España?

_____ a. Habían comprado un boleto de avión.

_____ b. Habían asado carne de res.

_____ c. Habían prendido fuego.

_____ d. Habían montado a caballo.

3. ¿Qué había hecho el gaucho probablemente antes de conocer a la pareja?

_____ a. Había montado su caballo muchas veces.

_____ b. Había comprado un caballo blanco.

_____ c. Había enseñado a bailar a mucha gente.

_____ d. Había conocido a Patricia.

√ Lee las siguientes oraciones y rodea con un círculo la letra de la oración que es verdadera.

1. **A.** Cuando llegaron a tierra firme, la mujer y su esposo se dieron cuenta de que no estaban en Venezuela.

   B. Cuando llegaron a tierra firme, la mujer y su esposo se dieron cuenta de que habían dejado su dinero en el crucero.

2. **A.** Iban todos los días al rancho del gaucho.

   B. Fueron al rancho del gaucho.

3. **A.** Iban a Buenos Aires frecuentemente.

   B. Fueron a Buenos Aires con el gaucho.

4. **A.** Patricia les enseñó a bailar.

   B. Patricia iba a enseñarles a bailar, pero ellos no tenían dinero para pagar las lecciones.

5. **A.** Ganaron el premio que eran dos boletos en avión.

   B. Ganaron el premio que era diez mil dólares.

6. **A.** Bailaban todo los viernes.

   B. Bailaron en la competencia.

Da tu opinión

√ Contesta las siguientes preguntas.

1. Si hubieras llegado a tierra firme (después de haber estado varios días en medio del océano) y te hubieras dado cuenta de que no tenías dinero, ¿qué habrías hecho?

2. Si hubieras estado en Buenos Aires, sin dinero y con mucha hambre, ¿qué habrías hecho?

3. Si hubieras encontrado a la pareja que no tenía donde pasar la noche, ¿qué habrías hecho? Explícalo.

4. Si fueras la profesora de baile, ¿les habrías enseñado a bailar? ¿Les habrías cobrado por las lecciones?

¡Cuánto me cuentas!

√ Contesta las siguientes preguntas sobre la historia como si fueras el esposo.

1 .¿Qué hicieron Uds. cuando llegaron a tierra firme?

2. ¿De qué se dieron cuenta cuando Uds. llegaron a tierra firme?

3. ¿A qué lugar fueron Uds. primero? ¿Por qué?

4. ¿Por qué salieron Uds. de la estación de autobuses sin comprar boletos?

5. ¿Cómo se llama a un vaquero en Argentina?

6. Al principio, ¿cómo les ayudó a Uds. el gaucho?

7. ¿Cómo se llama el fuego que se usa para asar carne?

8. ¿Por qué el gaucho les llevó (a ustedes) a Buenos Aires?

9. ¿Qué aprendieron en la casa de Patricia?

10. ¿Cómo volvieron Uds. a España? Describe el viaje de vuelta.

¡Superviviente! - Puntos de Vista

√ Escribe la historia como si fueras el esposo.

Lectura cultural:

El gaucho argentino

Tradicionalmente, al hombre que cuidaba ganado en la Argentina se lo llamaba "gaucho". El gaucho es producto del encuentro de distintas razas durante la conquista española de Argentina. Podría comparárselo con un vaquero de los Estados Unidos o con un **charro mejicano**[1]. Tanto el gaucho como el vaquero participaron en la conquista del país y tuvieron que **luchar**[2] contra los indios. Eran la "conexión" entre dos culturas, la "civilizada" de los europeos y la "salvaje" de los indios.

El gaucho, por lo general, era alto, delgado y moreno. El gaucho no vivía en una casa elegante. Vivía en una casa que se llamaba "rancho", construida con barro cocido y techo de juncos (plantas flexibles). No necesitaba una casa muy fuerte porque no se quedaba durante mucho tiempo en un mismo lugar, era nómada. Cuando dormía en su rancho (o casa) normalmente no dormía en una cama como las que usamos nosotros. Dormía en el suelo con una cobija, o, en el mejor de los casos, en una cama muy simple. Tenía una forma distinta de vestirse. Usaba camisa, chaleco, un pañuelo, un sombrero, pantalones anchos (o bombachas) y un poncho. También vestía un cinturón ancho, adornado de monedas.

Normalmente, se iba de la casa de sus padres cuando era muy joven. Tenía una personalidad fuerte y era nervioso. Hacía amigos rápidamente. Respetaba y creía en los acuerdos hechos de palabra. Para el gaucho, no era necesario un documento para formalizar un acuerdo. Todavía hoy, en la Argentina, cuando alguien te hace un favor **desinteresado**[3], se dice que te hizo una "gauchada".

Al gaucho no le gustaba trabajar en las industrias o hacer labores de agricultura. **En un principio vivía del ganado que andaba libre**[4] y sin dueño pero luego comenzó a trabajar para un patrón, que era un hombre que tenía mucha tierra y animales. El gaucho se ocupaba de cuidar las vacas, las ovejas y los caballos. Era muy fiel a su patrón y no tenía miedo de luchar para defender las propiedades de éste.

El gaucho era un hombre muy valiente, amaba la libertad individual y quería ser respetado por las autoridades políticas. Durante las luchas de Argentina por su independencia, el gaucho fue muy importante. Era buen soldado y, como montaba muy bien, era "soldado de caballería". Pasaba la mayor parte del día sentado encima de su caballo. Comía y a veces hasta dormía encima del animal que lo llevaba a todas partes. Participó en muchas batallas de la independencia como soldado pero también como ***"baqueano"***. El gaucho baqueano era un gran conocedor (experto) de la geografía y era capaz de guiar a los ejércitos a través del campo abierto en una época en que no había carreteras ni carteles indicadores.

En la segunda mitad del siglo XIX, los gauchos sufrieron mucha discriminación y persecución. Muchos europeos llegaron a Argentina y hubo un gran progreso social y económico. Pero fue una época difícil para el gaucho. Esta historia quedó reflejada en Martín Fierro, uno de los libros más importantes de la literatura argentina. Martin Fierro, el protagonista del libro, es un gaucho que se rebela contra las injusticias y se convierte en "gaucho malo" o peleador. Sin embargo, en la segunda parte del libro se reconcilia con la justicia y le recomienda a sus hijos que sean buenos ciudadanos y padres de familia. La historia de Martín Fierro fue muy popular entre los gauchos que conocían muchas de las estrofas (versos) o "cantos" del poema de memoria. Los gauchos solían cantar en los **fogones**[5], acompañados por la guitarra y a estos recitados se los conocía como payadas.

Hoy en día, el gaucho es un símbolo de Argentina. Es un símbolo del espíritu, la libertad y la independencia del país. Ahora, cuando una persona de Buenos Aires viaja al campo, en el interior del país, y ve a un hombre que monta a caballo vestido con ropa de gaucho, se emociona. Cuando alguien ve a un gaucho, ve a sus antepasados que lucharon por la libertad que hoy tienen los argentinos.

[1]cowboy **[2]fight** **[3]unselfish**
[4]In the beginning, the "gaucho" lived off the cattle which ran (roamed) freely
[5]bonfires

Imagina

1. Si pudieras entrevistar a un gaucho, ¿qué le preguntarías? Escribe 5 preguntas que te gustaría hacerle a un gaucho.

   1.)

   2.)

   3.)

   4.)

   5.)

2. ¿Qué te gusta y no te gusta de la vida del gaucho?

Notes

Capítulo cinco: ¿Quinceañera o pesadilla?

Mini-cuento A

había visto

le recomendó que lo llevara

quiere que vaya

a menos que vea

para que fuera

tuvo que

Mini-cuento B

para no tener que...

quiero que laves

tienes razón / tenía razón

era muy exigente

cuando lleguemos a... / cuando lleguen a...

antes de que vayas

Mini-cuento C

hasta que (nos) des de comer / de beber

sugiero / sugerimos

dondequiera que fuera/vaya

había nacido

insiste en que...

se volvieron / se volverán

Mini-cuento D

para que puedas

hasta que... (sintiera/estuviera)

mandó que...

cuando tomes

no te olvides

no me digas

Mini-cuento A

había visto	le recomendó que lo llevara	quiere que vaya
a menos que vea	para que fuera	tuvo que

Era el año 2080. En una ciudad lunar, había un anciano que se llamaba Justino T. Justino T. iba a cumplir 90 años en una semana. Justino T. había **vivido**[1] muchos años y había visto muchos cambios para que la vida fuera más cómoda: había visto ponerle motores solares a los autos para que fueran más económicos y había visto construir edificios muy altos en la luna para que fueran más grandes y cómodos que los de la **Tierra**[2]. Había visto familias enteras mudarse a la luna para que fuera más barato vivir y para que la gente fuera libre de tener muchos hijos. Había visto a los padres comprar controles remotos para que sus hijos fueran más obedientes y había visto a las profesoras de español poner chips en las cabezas de sus alumnos para que fueran mejores alumnos.

En lo personal, Justino T. había visto crecer a sus hijos y después había visto crecer a sus nietos. Sin embargo, había algo que Justino no había visto más que en sueños: Justino T. no había visto nunca a Britney Spears cantar en vivo. Hasta los 80 años, Justino T. había sido una persona feliz, pero después de los 80, se sentía deprimido. "Si fuera a un concierto de Britney Spears, no estaría tan deprimido", le dijo un día a su hijo mayor. La esposa de su hijo mayor le recomendó que lo llevara a un médico: "El problema continuará a menos que vea a un médico. Quiero que vayas a ver a uno con él". El hijo mayor pensó: "Mi esposa estará enojada conmigo a menos que lleve a papá a un médico". Muy preocupado, su hijo mayor lo llevó a un médico, quien le recomendó que lo llevara a un psicólogo: "El problema de su padre continuará a menos que vea a un psicólogo, o a menos que vea a Britney en vivo. Quiero que su padre vaya a un psicólogo pronto. Si puede, quiero que también vaya a ver a Britney Spears". Obviamente, que el hijo de Justino T. decidió que un concierto no era un buen tratamiento para que su padre fuera normal; además era muy caro porque Britney sólo daba conciertos en la Tierra.

Justino, el hijo menor, había visto muchas cosas locas en su vida, pero nunca había visto a su padre, de casi 90 años, caminar por toda la casa con una foto de Britney y llorar. Ahora, veía esta escena todos los días. Por eso, habló con su hermano mayor y le recomendó que lo llevara a un psicólogo para que su padre fuera feliz: "Papá seguirá llorando todo el día a menos que vea a un psicólogo, o a menos que vea a Britney en vivo". Obviamente, Justo, el hijo mayor de Justino T. llevó a su padre a ver a un psicólogo para que su vida fuera normal de nuevo. También pensó: "Además, mi esposa estará enojada a menos que lleve a mi papá al psicólogo".

Apenas vio al psicólogo, Justino T. le contó: "Tengo casi 90 años. Toda mi vida he soñado con ver a Britney Spears en vivo. He visto muchas cosas en mi vida, pero nunca he visto a Britney Spears en vivo. Mi hijo mayor no quiere que vaya a ver a Britney porque es muy caro. Mi hijo menor no quiere que vaya a ver a Britney porque su hermano no quiere que vaya. En mi opinión, mi hijo mayor no quiere que vaya a la Tierra porque tiene miedo, y mi hijo menor no quiere que vaya a otra ciudad porque soy muy viejo. Ellos no quieren que vaya a ningún lado. ¿Qué puedo hacer? A menos que vea a Britney Spears, no seré feliz. A menos que la vea bailar y a menos que la escuche, seguiré llorando. A menos que la vea cantar y a menos que la vea muy cerca, estaré deprimido. A menos que la toque, a menos que respire el mismo aire y a menos que la abrace, estaré deprimido el resto de mi vida".

Después de 12 horas de entrevista, el psicólogo salió de su oficina y le dijo al hijo mayor: "Es obvio que su padre tiene SVF -más comúnmente conocido como el "síndrome de ver a un famoso". Si no quiere que su padre vaya a ver a Britney Spears, ella tendrá que venir a la luna. A menos que su padre vea a Britney, no se curará. Si Ud. quiere que su padre vaya a la Tierra sin pagar, debe presentar esta orden médica. Además, debe llevar a su padre a ver a Britney Spears en vivo todos los días durante diez días". Así, le recomendó que llevara la orden a la Oficina de Asuntos Lunares. Después, le recomendó que llevara a su padre al Hotel de SVF, que era gratis. Además, le recomendó que llevara dinero para comprar a su padre una camiseta de Britney.

Justo, el hijo mayor, tuvo que presentar la orden en la Oficina de Asuntos Lunares para que su padre fuera a la Tierra sin pagar. Es más, lo tuvo que acompañar a la Tierra, para que no fuera sólo. Además tuvo que pedir permiso en su trabajo para que los dos fueran diez días a la Tierra. En la Tierra, tuvo que ir al Hotel de SVF para que fuera gratis. Allí tuvo que tolerar mucha gente en tratamiento. Finalmente, tuvo que acompañar a su padre al Britney-Bowl para ver el concierto. En el concierto, toda la gente tenía más de 70 años, pero bailaban y cantaban como jóvenes.

El primer día, Justo tuvo que comprarle a su padre una camiseta con la cara de Britney. El segundo día, tuvo que ponerse una gorra de Britney que su padre le compró. El tercer día, tuvo que cantar con él porque se lo pidió. Después del cuarto día, tuvo que admitir que Britney estaba espectacular a pesar de su edad. Los otros días, no tuvo que hacer nada sino que hizo algo que nunca había hecho: Se relajó y disfrutó cantando y bailando con Britney y su padre.

[1]lived [2]Earth

Una página de diario

√ El diario: LOS ANGELES LUNARES publicó un artículo sobre el concierto de Britney Spears. Lee el artículo y completa con las palabras de la lista.

Britney Spears: más popular que nunca

había visto	fueron	tuvo
nunca había visto	asistió	para que su padre fuera
había llevado	para que no fuera	vive

Más de 500.000 espectadores (1) ________________ al Concierto de Britney en el nuevo Súper Estadio que la Súper Estrella construyó para su Súper Concierto. La estrella comentó que (2) ________________ tanta gente como ayer. Y su representante agregó que el concierto (3) ______________ personas de más de 70 años y de diferentes lugares.

Entre los espectadores, estaba el Sr. Justino T, quien (4) ____________________ a Britney cantar en televisión pero nunca en vivo. El Sr. Justino T, quien (5) ______________ en la Luna, es el espectador de más edad que (6) ________________ al concierto de Britney. Su hijo Justo (7) __________ que acompañar a su padre al concierto (8) ______________ solo. Además, tuvo que comprarle a su padre una camiseta con la cara de Britney (9) ________________ feliz.

√ Completa el artículo con palabras del Sr. Justino T.

Entrevistamos al Sr. Justino y le preguntamos cómo decidió ir al concierto y qué le gustó más de la experiencia. Nos contó lo siguiente:

____

____

____

____

____

____

____

____

____

Da tu opinión

1. Si hubieras estado en el lugar de Justo, ¿habrías hecho lo mismo? Explícalo.

2. Si fueras psicólogo y un paciente estuviera deprimido por no poder ir a un concierto, ¿le recomendarías ir? Explícalo.

3. ¿Qué habría pasado si Justino T. no hubiera ido al concierto?

4. ¿Qué habría pasado si Justo no hubiera podido conseguir permiso para acompañar a su padre?

5. Si tuverias la oportunidad de hacer un concierto para tus amigos, ¿qué tipo de música tocarías? ¿Cantarías o sólo tocarías instrumentos?

6. ¿Quieres que vayan tus padres a un concierto? Si pudieras mandarlos a cualquier concierto, ¿a cuál concierto los mandarías? Explícalo.

¿Quién, por qué o para qué lo dijo?

√ Decide quién hizo los siguientes comentarios y en qué contexto. Sigue el modelo:

1. Lleva a tu padre a un médico.
   La esposa del hijo mayor le dijo esto al hijo porque el padre estaba deprimido.

2. Lleve a su padre a un psicólogo.

3. Lleva a papá a un psicólogo.

4. Lleve dinero y cómprele una camiseta a su padre.

5. Llévame al concierto de Britney.

6. Presente esta orden en la oficina correspondiente.

7. Pídale que me lleve al concierto de Britney.

8. Cómprame una camiseta.

¿Qué les recomendaron?

√ Lee las siguientes oraciones y completa cada una con una respuesta posible.

1. Un coche atropelló al perro de mi vecino y el perro sufrió una herida grave. Le recomendé que lo llevara a ______________________________.

2. Un compañero de la clase de español se había copiado el examen de otro estudiante. La profesora le recomendó a sus padres que lo llevaran a ______________________.

3. Mi hermana se cayó de su bicicleta. Le recomendé a mi madre que la llevara a ____________________.

4. Un estudiante me golpeó la cabeza. El director le recomendó a mi madre que me llevara a _________________. Yo le recomendé a él que llevara al estudiante a ______________________.

5. Mi amigo va a morirse a menos que vea un especialista en ________________. Yo les recomendé a sus padres que lo llevaran a _____________________.

Mini-lectura cultural: El concierto de rock

Sin duda, ir a un concierto de rock en cualquier ciudad es muy interesante. Hay conciertos para todos los gustos: hay conciertos para adolescentes y para adultos. En ambos casos, se programan con anticipación para que todos puedan enterarse y comprar sus entradas **anticipadamente**[1].

En Argentina, los conciertos de rock nacional son tanto, o más populares, que los de rock internacional. Las bandas que alguna vez tuvieron que tocar en pequeños escenarios o bares, hoy tocan en grandes estadios y hasta en la céntrica Avenida 9 de Julio, en Buenos Aires, dejando atrás las décadas de censura o prohibición que los músicos sufrieron durante la dictadura militar. El rock en Argentina es un fenómeno cultural, mayormente juvenil, que se define a partir de una actitud y un mensaje opuestos a los establecidos por la sociedad.

Muchos padres van con sus hijos adolescentes a ver conciertos de rock, porque antes no habían visto tocar a las bandas en lugares tan grandes y quieren que sus hijos vayan acompañados. Padres e hijos se ponen jeans y zapatillas, porque se recomienda llevar ropa bien cómoda, y se van al lugar del concierto con varias horas de anticipación para disfrutar del recital. Si es en un estadio, el lugar preferido es el "campo", donde los espectadores pasan un buen momento a menos que un grupo de muchachos demasiado eufóricos los obligue a buscarse otro lugar. Se recomienda que lleven agua y algo de comer por si la espera es larga.

En general, luego del concierto, el público se va muy contento. Algunos incluso salen cantando y, con seguridad, le recomendarán a algún amigo que lleve a sus hijos a ver un gran concierto de rock donde la alegría se contagia en cada canción y la diferencia de edad, **al menos mientras suena la música**[2], no cuenta.

[1]in advance [2]at least while the music is playing

Para más información acerca del rock nacional argentino, visita a los siguientes sitios de la web: www.rock.com.ar; www.uol.com.ar/musica.

Da tu opinión

1. Escribe una descripción de un concierto al que has asistido o al que asistirías si tuvieras la oportunidad. ¿A cuál banda escucharías? ¿Con quién irías? Explícalo.

2. ¿Qué opinas acerca de la censura o prohibición de la música que tiene un mensaje antisocial o en favor de la violencia?

3. Si tuvieras la oportunidad de conocer a un músico, ¿a quién conocerías? Explica por qué.

Mini-cuento B

para no tener que...	**quiero que laves**
tienes razón / tenía razón	**era muy exigente**
cuando lleguemos a.../lleguen a...	**antes de que vayas**

Había un profesor de español que tenía un perro horrible. El perro era más grande que un elefante y nunca se lavaba los dientes. Por eso, tenía muy mal aliento. El profesor era muy exigente con sus cosas. Era muy exigente con sus alumnos y era muy exigente con sus hijos. Siempre era exigente con el orden de su casa y los vecinos no entendían por qué no era nada exigente con su perro. Todos los vecinos se quejaban del mal aliento del perro y aunque el profesor no era exigente con el perro, decidió llevarlo al veterinario.

"Lo llevaré para no tener que escuchar a los vecinos quejarse nunca más", le dijo a su esposa. "Te llevaré", le dijo al perro "para no tener que encerrarte cada vez que vienen mis amigos a jugar a las cartas". "Tienes razón", pensó el perro. "Mi aliento es tan feo que nadie tolera mi compañía". La esposa le dijo al profesor: "Lo llevarás, para no tener que sacarlo a pasear a las 4 de la mañana porque nadie tolera ese aliento tan repulsivo". "Ella tiene razón", pensó el profesor. Y en verdad, su esposa tenía razón. El profesor tenía que sacar a pasear al perro a las 4 de la mañana. "Además, lo llevarás para no tener que escuchar llorar al bebé cada vez que se acerca el perro". El profesor tuvo que admitir que su esposa casi siempre tenía razón. Tenía razón cuando iba al supermercado temprano para no tener que **hacer cola**[1], tenía razón cuando pagaba todo con tarjeta de crédito para no tener que llevar efectivo y tenía razón acerca de llevar al perro al veterinario para no tener que tolerar su mal aliento.

Como el perro olía tan mal, el profesor llamó a un estudiante para bañar al perro. "Antes de que vaya al veterinario, quiero que laves al perro con champú de rosas. Quiero que le laves bien las orejas con champú de violetas para orejas y quiero que le laves bien la cola con champú de limón con acondicionador para colas. No quiero que le laves la cabeza muy rápido para no tener que sacarle el champú de los ojos", le dijo el profesor al estudiante que fue a bañar al perro. El estudiante estaba molesto por tantas instrucciones; ya que el profesor repitió las instrucciones 5 veces: "¡Este profesor es muy exigente, pensó el alumno! Mis compañeros tenían razón cuando me dijeron que era MUUUY PERO MUUUUUY EXIGENTE". Al instante, el profesor le dijo: "Quiero que repitas mis instrucciones", y el muchacho repitió enojado: "Antes de que USTED vaya al veterinario, USTED quiere que YO le lave bien las orejas AL PERRO con champú de limón para colas y USTED quiere que YO le lave bien la cola AL PERRO con champú de violetas para no tener que sacarle el champú..." Las instrucciones del profesor eran muy complicadas y el estudiante pensó: "Antes de que vaya al veterinario, pondré todos los champúes juntos para no tener que pensar demasiado y lavaré al perro con todos los champúes juntos ¡Y listo!".

El profesor llevó al perro al veterinario. En el camino, se dio cuenta de que la cola del perro no olía a limón ni las orejas olían a violetas. ¡Qué extraño! Nada tenía el olor de siempre; lo único que olía mal era el aliento del perro. Mientras caminaba, el profesor le hablaba todo el tiempo a su perro: "Cuando lleguemos al veterinario, debes portarte bien. Cuando lleguemos al veterinario, debes mantener la boca cerrada. Cuando lleguemos al veterinario, no debes ladrar. Cuando lleguemos al veterinario, debes hacer lo que él te dice". A su vez, el perro pensaba: "Cuando lleguemos al veterinario, me sentiré aliviado de no tener que escucharte. Cuando lleguemos al veterinario, le pediré un remedio para el mal aliento. Tomaré el remedio para no tener que esconderme nunca más. Tomaré el remedio para no tener que tener la boca cerrada todo el tiempo".

En el consultorio, el veterinario vio al perro y dijo: "Este perro huele a flores y tiene mal aliento. Antes de que se vaya a su casa, compre champú para perros con mal aliento. Cuando lleguen a su casa, quiero que le lave primero la pata izquierda con el champú durante dos minutos. Después, quiero que le lave la pata derecha durante 3 minutos y por último, quiero que le lave la boca durante 6 minutos. No quiero que le lave las orejas con este champú". El profesor pensó: "¡Este veterinario es muy exigente!", pero compró el champú y se fue a su casa a llamar al estudiante: "Quiero que laves a mi perro otra vez", le dijo y le dio todas las instrucciones del veterinario. El estudiante siguió las instrucciones, pero el perro seguía oliendo a flores y aún tenía mal aliento. Entonces, el profesor y el perro volvieron al veterinario.

El veterinario le dio otro tratamiento: "Antes de que se vaya a su casa, compre champú para perros con "el peor aliento del mundo". Cuando lleguen a su casa, quiero que le lave las orejas con ese champú y que después le lave los ojos y la boca durante 10 minutos". El profesor llamó al estudiante de nuevo, quien bañó al perro de nuevo, pero éste seguía teniendo mal aliento. Desde su casa, el profesor llamó al veterinario de nuevo, quien le dijo: "El mal aliento de su perro es incurable".

Entonces, el profesor le dijo al perro: "No hay nada que hacer. No quiero que te laven con tantos champúes raros. Te llevaré al zoológico para no tener que bañarte todos los días. En el zoológico, vas a encontrar amigos y vas a ser más feliz, pero antes de que te vayas, quiero que te laves los dientes una vez más para darme un besito". El perro pensó: "Cuando llegue al zoológico, conoceré otros animales y viviré tranquilo. No quiero vivir con gente tan exigente". Después, se lavó los dientes, le dio un besito al profesor y se fueron al zoológico, donde vivió feliz durante muchos, pero muchos años sin que nadie se quejara de su mal aliento.

[1]wait in line

Charlas en el zoológico: El mono y el perro

En cuanto llegó al zoológico, el perro con mal aliento sintió que iba a estar entre amigos. Es más, después de que el profesor se fue, un chimpancé se acercó a él y le hizo las preguntas que aparecen a continuación.

√ **Contesta las preguntas como si fueras el perro.**

Chimpancé: Hola, soy La Mona Lisa. ¿Cómo te llamas?

Perro:

Chimpancé: ¿Quién te trajo acá?

Perro:

Chimpancé: ¿Por qué te trajo?

Perro:

Chimpancé: ¿Estás contento de haber venido? ¿Qué piensas del zoológico?

Perro:

Chimpancé: ¡Eres muy grande! ¿Te tenía miedo tu dueño?

Perro:

Chimpancé: ¿Qué te gusta comer?

Perro:

Chimpancé: ¿Te gusta lavarte los dientes?

Perro:

Chimpancé: ¿Vas a extrañar a tu dueño o estás feliz de estar libre de él?

Perro:

Chimpancé: Si pudieras elegir dónde vivir, ¿dónde vivirías y con quién vivirías?

Perro:

Charlas en el zoológico: El perro y el león

Después de esta charla, el perro se acercó a la jaula del león y ellos charlaron un rato. El perro le contó todo acerca de lo que le había pasado en su casa. El león, que era el psicólogo del zoológico, le hizo varias preguntas.

√ Contesta las preguntas como si fueras el perro.

León: En toda mi vida, nunca he visto un perro tan grande como tú. ¿Cómo te sientes ser tan grande?

Perro:

León: Cuando se quejaban los vecinos, ¿qué te decían? ¿Cómo te sentías al escuchar sus insultos?

Perro:

León: ¿Cómo te sentiste cuando tu dueño te llevó al veterinario? ¿Qué te dijo el veterinario?

Perro:

León: ¿Cómo te sentiste cuando tu dueño te llevó al zoológico?

Perro:

León: ¿Quieres que tu dueño te visite? ¿Lo echas de menos*?
(*Do you miss him?)

Perro:

√ El perro nunca había estado en un zoológico antes, por eso escribió comentarios acerca de los diferentes animales y se los mandó al profesor. Completa estas oraciones, usando cualquiera de las siguientes palabras que te guste más: mono(s), babuino(s), jirafa(s), tigre(s), serpiente(s), elefante(s), hipopótamo(s), cocodrilos

1. Ayer, vi a una ___________ por primera vez. Estaba asombrado (sorprendido) porque nunca había visto un cuello tan largo.

2. Las __________________ son muy antipáticas. Siempre tratan de morderme.

3. No me había dado cuenta de que los _________________ tenían narices tan largas y grandes.

4. El primer día vi a los _______________. ¿Por qué nunca me dijiste que tienen pompis tan grandes?

5. Mi mejor amigo es un _______________ porque siempre me da bananas.

Mini-lectura cultural: Los canguros

Una de las mayores preocupaciones de la juventud española es el empleo. La mayoría de los jóvenes, solamente trabaja o solamente estudia, pero hay un porcentaje considerable de chicos entre 17 y 21 años que hace las dos cosas. Muchos desean la independencia económica para no tener que depender de sus padres pero también quieren continuar su educación. Para cumplir ambos deseos optan por salir a trabajar pocas horas y poder estudiar ya que son muy exigentes con sus notas y exámenes.

Una salida laboral rápida es emplearse en alguna casa de familia como "asistente" o "interna", ayudando en las tareas domésticas o cuidando niños unas horas, profesión que se llama "canguro". A diferencia de las niñeras, los canguros no cuidan niños en forma continua y no poseen formación profesional. Muchas de las niñeras, en cambio, son estudiantes de alguna carrera relacionada con educación infantil, psicología o enfermería. Obviamente que además de cuidar a los niños, muchas veces soportan algún niño muy exigente y caprichoso pero están a gusto con su trabajo porque pueden pagar sus estudios y saben que al finalizar la carrera, tendrán experiencia laboral para buscar otro trabajo.

Aunque hay muchas empresas que proveen personal doméstico, muchos padres deciden realizar su propia búsqueda. Una de las páginas más visitada en España, en los últimos años, es www.canguroencasa.com; un sitio donde hay avisos de quienes quieren trabajar como canguros, recomendaciones y opiniones de otros padres. Otras páginas ofrecen consejos para elegir una buena canguro. Entre las principales recomendaciones se destaca la de asegurarse que la canguro establezca una buena relación afectiva con el niño y que tenga iniciativa ante posibles problemas como fiebre, caídas o intoxicaciones.

Las canguros cobran entre cinco y diez euros por hora. Trabajan mucho, sobre todo los fines de semana, que es cuando tienen más tiempo libre y cuando los padres de los niños desean que se ocupen de ellos porque tienen otras actividades. Muchas canguros se quedan con los niños, les dan de comer, juegan, les cuentan cuentos y cuando los papás llegan a la casa ya están dormidos. Los días de clases es común ver en las puertas de los colegios a las canguros esperando a los niñitos a quienes llevarán a casa, les darán su comida, los bañarán y, si la mamá es muy exigente, también les lavarán la ropa. Pero como gustan de los pequeños y son afectuosas lo hacen con cariño y, sobre todo, con seriedad y responsabilidad.

√ Contesta las siguientes preguntas.

1. ¿Alguna vez trabajaste de "canguro" o de "babysitter"? Explícalo.

2. Haz una lista de tres condiciones que son necesarias para ser canguro.

    1.

    2.

    3.

Para más información acerca de los canguros, visita los siguientes sitios de la web: www.consumer.es; www.canguroencasa.com; www.espanahoy.wiki.mailxmail.com

ANUNCIOS PATROCINADOS

√ Lee los siguientes anuncios reales de gente que busca trabajo de canguro. Luego, escribe tu propio anuncio como si estuvieras buscando un puesto de canguro.

Ana Soares Pereira	Tipo de canguro: Bebés , Tareas domésticas
Madrid	Disponibilidad: Completa
	Precio/hora: 9,00

¿Cómo soy?

Mujer, 25 años. Nacionalidad española.
Estudiante de psicología.
Persona muy responsable, simpática y dinámica.
La retribución es negociable según las horas totales.
Posibilidad de traslado.

¿A quién le pueden interesar mis servicios como canguro?

Personas que necesiten compañía para sus hijos durante todo el día o algunas horas, durante la semana o el fin de semana.

Experiencia como canguro desde los 13 años.
He cuidado a niños desde nueve meses hasta diez años.
Pueden solicitar referencias.

Elisabeth Perez Papoa	Tipo de canguro: Bebés , Niños
Barcelona	Disponibilidad: los fines de semana
	Precio/hora: 7,00 €

¿Cómo soy?

Tengo 38 años. Mi nombre es Elsa. Mi madre ha cuidado bebes durante años y yo la he visto hacerlo. Todo el tiempo, les brindamos mucho cariño y cuidados. Además, en varias ocasiones he cuidado de mis sobrinos. Me gustan los niños, hacerles jugar, entretenerles, contarles cuentos y, sobre todo, darles mucho afecto. Soy secretaria de una empresa, pero tengo algunos fines de semana libres. Además, estoy estudiando administración de empresas y algunos fines de semana debo estudiar, especialmente en época de exámenes.

¿A quién le pueden interesar mis servicios como canguro?

Aquellas personas que necesiten estar fuera de casa durante el día algún fin de semana y busquen una persona que pueda cuidar de sus hijos durante algunas horas, alguien que les inspire tranquilidad y confianza. Para contactarse conmigo, ruego me envien un mail de lunes a viernes hasta las 13 hs. Gracias. Elsa

Nombre: **Tipo de canguro:**

Ciudad: **Disponibilidad:**

Precio/hora:

¿Cómo soy?

____

____

____

____

¿A quién le pueden interesar mis servicios como canguro?

____

____

____

____

Mini-cuento C

hasta que (nos) des de comer / de beber	**sugiero / sugerimos**
dondequiera que fuera / vaya	**había nacido**
insiste en que...	**se volvieron / se volverán**

Había un hombre que había nacido en Sudamérica y se llamaba Kichi. A diferencia de los sudamericanos, que nacen en hospitales, Kichi había nacido en un barco. Kichi había nacido en un barco en el río Amazonas. Kichi tenía 4 hermanos, pero ninguno había nacido en un barco. El hermano mayor había nacido en el hospital, otro había nacido en la selva, la única hermana de Kichi había nacido en la casa de sus padres y el hermano menor de Kichi había nacido en un taxi camino al hospital. Kichi había nacido y vivido en un barco cuando era chico porque sus padres, quienes siempre tenían ganas de estar cerca del río, habían comprado un barco para vivir.

Como Kichi había nacido en el río, siempre tenía ganas de estar en el río. Por eso, se había comprado un barco y vivía en el río. La vida en el río era tranquila y Kichi tenía ganas de vivir una vida tranquila.

Un día, pasó algo extraño. El río se llenó de pirañas hambrientas. Kichi no tenía ganas de vivir cerca de las pirañas y se fue río arriba, pero las pirañas lo siguieron. Después se fue río abajo, y las pirañas lo siguieron también. Dondequiera que Kichi fuera en su barco, había pirañas. Dondequiera que Kichi fuera caminando, había pirañas. Kichi no tenía ganas de ver pirañas así que les habló: "¿Por qué me siguen dondequiera que vaya? No me gusta. No tengo ganas de estar con ustedes. Les sugiero que se vayan". Las pirañas le contestaron: "No nos iremos hasta que nos des de comer. Tenemos mucha hambre. Te sugerimos que nos des de comer". Kichi no quería darles de comer y las pirañas lo seguían dondequiera que fuera e insistían en que les diera de comer. A pesar de que Kichi se negaba, las pirañas insistían en que les diera "aunque fuera un poquito". Si Kichi comía hamburguesa, las pirañas insistían en que les diera un pedacito de hamburguesa. Si Kichi comía papas fritas, las pirañas insistían en que les diera papa fritas: "No nos iremos hasta que nos des de comer. Tenemos mucha hambre. Queremos que nos des papas fritas. Te sugerimos que nos des de comer. Sólo así nos iremos".

Kichi llamó a sus hermanos, que no habían nacido en un barco, para pedirles consejo: "El río está infestado de pirañas hambrientas. Insisten en que les dé de comer. Me siguen dondequiera que vaya. Me dicen que no se irán hasta que les dé de comer". El hermano mayor, que había nacido en un hospital, insistió en que les diera arroz con leche: "Te sugiero que les des de comer arroz con leche. Si les das de comer arroz con leche, las pirañas se volverán blancas y se irán". Kichi les dio de comer arroz con leche y las pirañas se volvieron blancas, pero no se fueron. Dondequiera que fuera, allí estaban las pirañas, que le decían: "¡Nos gustó mucho el arroz con leche. Te sugerimos que nos des de comer arroz con leche otra vez. No nos iremos hasta que nos des arroz con leche otra vez".

La hermana, que había nacido en la casa, insistió en que les diera mucha mostaza: "Dales de comer mucha mostaza. Si les das de comer papas fritas con mucha mostaza, se volverán amarillas y se irán". Kichi les dio papas fritas con mostaza y las pirañas se volvieron amarillas, pero no se fueron y le dijeron: "¡Qué sabrosas eran esas papas fritas! La próxima vez, te sugerimos que les pongas más sal. No nos iremos hasta que nos des papas fritas con mostaza y mucha sal".

El hermano que había nacido en la selva insistió en que les diera de comer ensalada de remolacha: "Dales de comer mucha **remolacha**[1] y así se volverán rojas y se irán". Kichi les dio de comer ensalada de remolacha y las pirañas se volvieron rojas, pero no se fueron. "No nos gusta mucho la remolacha", le decían las pirañas dondequiera que Kichi fuera. "Te sugerimos que nos des papas fritas otra vez. No nos iremos hasta que nos des de comer papas fritas".

El hermano menor de Kichi, que había nacido en un taxi, insistió en que les diera aros de cebolla fritos: "Te seguirán dondequiera que vayas hasta que les des **aros de cebolla**[2]. Dales de comer muchos aros de cebolla y su aliento se volverá tan oloroso que no podrán comer más y se irán". Kichi les dio de comer aros de cebolla fritos y el aliento de las pirañas se volvió tan oloroso que las pirañas comenzaron a decir: "Danos un besito. No nos iremos hasta que nos des un besito. Si nos das un besito, te dejaremos en paz. Si no nos das un besito, te seguiremos dondequiera que vayas. Si nos das un besito, te prometemos irnos". Kichi se puso a pensar: "¿Debería darles un besito?"

[1]**beet** [2]**onion rings**

Pirañas

Aunque sea cierto que ocasionalmente las pirañas pueden atacar a animales grandes heridos, la mayor parte del tiempo comen peces, carroña y algunas veces de las plantas de la ribera. Por lo general, las pirañas son tímidas y tratan de escapar de la presencia del hombre. Los investigadores creen que las pirañas se congregan en grandes grupos por protección y no como una estrategia de caza. Aun así, los grupos de pirañas pueden ser peligrosos. Estos peces tienen los dientes afilados como una hoja de afeitar, exactamente como se ve en las películas; ellos pueden devorar casi cualquier cosa si les falta comida.

¡Cuánto me cuentas!

√ **Ordena cronológicamente los siguientes sucesos.**

_____ a.) Nació Kichi.

_____ b.) Las pirañas se volvieron rojas.

_____ c.) Aparecieron pirañas hambrientas.

_____ d.) Kichi les dio de comer arroz con leche.

_____ e.) Las pirañas le pidieron a Kichi que les diera un besito.

_____ f.) Nació en un taxi uno de los hermanos de Kichi.

_____ g.) Kichi les dio de comer papa fritas con mostaza.

_____ h.) Nació uno de los hermanos de Kichi en el hospital.

_____ i.) Las pirañas se volvieron blancas.

_____ j.) Los padres de Kichi compraron un barco y se mudaron.

_____ k.) Kichi les dio de comer aros de cebolla fritos.

_____ l.) Las pirañas se volvieron amarillas.

_____ m.) Kichi les dio de comer ensalada de remolacha.

_____ n.) Kichi se compró un barco.

_____ o.) El aliento de las pirañas se volvió oloroso.

Da tu opinión

1. ¿Le sugerirías a Kichi que les dé un besito a las pirañas? Explícalo.

2. ¿Le sugerirías a Kichi que les dé comida a las pirañas? Explícalo.

3. Si fueras Kichi, ¿qué harías para resolver el problema con las pirañas?

4. Si fueras una de las pirañas, ¿que harías para que Kichi les dé de comer?

5. En la página siguiente, escribe el final de la historia utilizando tus respuestas.

Las pirañas nos cuentan su versión

√ Esta carta apareció en un boletín de 'Green Peace' antes de que Kichi les diera los aros de cebolla a las pirañas. Completa el artículo con las expresiones de la lista.

pedimos	dondequiera que vaya	nos volvimos	vivimos
dar de comer	para que se diera cuenta	no nos pudimos	insistimos
que nos diera	nos dé de comer	sugiere	estábamos

Tenemos derecho a vivir en el río

Somos cinco mil pirañas y ahora (1) ____________en un tranquilo río de la Selva Amazónica. Tenemos mucha hambre y nuestro vecino no nos quiere (2) _____________. Tratamos de ser sus amigas y lo seguimos (3) ______________________ para que no esté solo, pero él nos dice que quiere estar solo y nos (4) ______________ que nos vayamos.

Nosotras no nos podemos ir porque estamos tan débiles que no podemos nadar. Le explicamos nuestra situación e (5) ______________ en que nos de de comer, pero nuestro vecino se niega. No pedimos mucho, pedimos (6)_____________________ algo chiquito.

Un día, nos dio una comida blanca muy rica. La comimos y (7) _______________ blancas. Nadamos cinco minutos, pero no pudimos irnos porque (8) _______________ débiles. Otro día, nos dio una comida amarilla que era deliciosa. Insistimos en que (9) _______________________________ más comida, pero no nos dio. Como era poca comida, nos volvimos amarillas y nadamos diez minutos, pero después estábamos tan débiles que (10) _____________ ir. A la semana siguiente, nos dio una comida roja HORRIBLE, pero la comimos igual (11) _________________ de que tenemos hambre. Nos volvimos coloradas y no pudimos nadar ni un minuto.

En nuestra opinión, el río es un lugar público y tenemos derecho a vivir en él. Además, nuestro vecino tiene la obligación de ayudarnos porque nosotras estamos muy débiles. (12) ______________ a todos los medios de comunicación que pidan a nuestro vecino que nos ayude.

Mini-lectura cultural: Vivir en el Delta

El Delta del Tigre, en la Provincia Buenos Aires, es un conjunto de islas y **riachos**[1] que forman un paraíso natural a sólo una hora de Buenos Aires. Las compañías turísticas sugieren dedicar un día para visitar este maravilloso lugar.

En un paseo por el Delta del Tigre se puede observar que no hay sólo turistas. Esta zona también es elegida como lugar de residencia por mucha gente a quien gusta la naturaleza. Muchas personas viven en las islas desde hace mucho tiempo, algunos han nacido allí y otros, buscando alejarse del ruido, se mudan a las islas y no vuelven a la ciudad. La gente que vive en las islas trabaja en los **puertos**[2], cultivando cítricos o construyendo restaurantes o **posadas**[3] para que los visitantes puedan pasar unas noches o simplemente comer mientras continúan su viaje a través de las islas.

En el Delta, dondequiera que uno vaya, se encontrará con infinidad de colores, sonidos y olores que envuelven al visitante. Hay una gran variedad de plantas, árboles y pájaros que habitan la zona. El río invita a la gente a nadar, pero con precaución, porque puede haber pirañas en algunas épocas del año. En los lugares dónde hay pirañas, carteles[4] bien visibles, insisten en que los visitantes tengan cuidado.

Hace muchos años, el famoso Sarmiento, maestro rural, escritor, político y presidente argentino decidió vivir en el Delta. Cuentan los historiadores que cuando tomó posesión de su isla, disparó al aire simbólicos tiros con su arma de fuego (pistola). Allí construyó su casa y se dedicó a escribir, pero esa no fue su única actividad. También **asesoró**[4] a los vecinos en la construcción de casas de madera y en 1855, plantó la primera planta de **mimbre**[5], dando inicio a la principal industria de la zona. Admirador de Robinson Crusoe y de los pioneros que llegaron a Nueva Inglaterra en el May Flower, Sarmiento pudo hacer realidad sus ideales de héroe civilizador.

En el corazón del Delta, protegida con un enorme cristal, la casa de Sarmiento sigue todavía en pie, hoy convertida en museo y biblioteca. Muchos visitantes llegan allí, especialmente los fines de semana, y se sorprenden con la enorme caja de cristal que brilla desde el horizonte.

[1]estuaries [2]ports [3]inns [4]advised [5]wicker

√ Contesta las siguientes preguntas.

1. ¿Conoces algún lugar similar al Delta del Tigre? Descríbelo.

2. ¿Te gustaría vivir en un lugar tranquilo como el Delta o preferirías vivir en la ciudad? Explícalo.

3. ¿Te gustaría vivir en una isla como Sarmiento o en un barco como Kichi? Explícalo.

Mini-cuento D

para que puedas	**hasta que (sintiera/estuviera)**	**mandó que...**
cuando tomes	**no te olvides**	**no me digas**

Había una chica que asistía a una escuela privada en Guatemala. Era completamente normal y muy inteligente, pero a los 12 años, tuvo un accidente. Un día, al regresar de la escuela, cruzó la calle y no escuchó un camión que se acercaba. El camión la **arrolló**[1] y ella sufrió heridas muy graves en las dos piernas y en los brazos. El doctor que la atendió le mandó que usara una silla de ruedas. Le dijo: "Te sugiero que uses esta silla de ruedas para que puedas ir a todas partes. Tendrías que usarla durante dos o tres meses. No te olvides de que estás lastimada y no debes caminar". El doctor también le mandó que esperara hasta que se sintiera mejor antes de regresar a la escuela. La chica siguió las sugerencias del doctor y decidió quedarse en casa hasta que estuviera mejor.

Después de un mes, ella se recuperó bastante y regresó a la escuela en la silla de ruedas. Aunque estaba feliz de estar en la escuela otra vez con sus amigas, todo era muy diferente. Ella no entendía nada de lo que decían los profesores o sus amigos. Podía entender lo que ella leía, pero no entendía LO QUE LE DECIAN. Su madre la llevó a un especialista en heridas cerebrales y el especialista le dijo: "No te olvides de que tuviste un accidente serio. Debes descansar más para que tu cerebro pueda funcionar mejor". Y le mandó que durmiera 10 horas de noche y una hora de siesta después de la escuela, hasta que sintiera que empezaba a entender.

Así pasaron dos meses, y la chica seguía sin caminar y sin entender lo que le decían. Los profesores creían que el accidente le había causado daño cerebral. "No te olvides de hacer tu tarea", le decía el profesor de matemática, pero ella no la hacía. "No te olvides de traer tu guitarra", le pedía la profesora de música, pero ella no la traía. "No te olvides de leer el cuento", le decía la profesora de español, pero ella no lo leía. Los profesores hablaron con el director y decidieron que era necesario mandarla a una escuela especial, hasta que estuviera mejor o hasta que sintiera que ya entendía.

Los profesores y el director llamaron a los padres y les comunicaron su decisión. Los padres estaban asombrados: "No me diga que le da tarea de matemática cuando mi hija nunca tiene", le dijo la madre al profesor de matemática. "No me diga que no lee los cuentos cuando nunca le piden que lea", le dijo el padre a la profesora de español, y después se dirigió a la profesora de música: "Y Ud. no me diga que mi hija no trae su guitarra cuando ella me cuenta que en clase de música no escucha ni una nota musical". La madre comenzó a llorar: "¡No me digan que debo mandarla a una escuela especial para que pueda pasar de año. Mi hija está bien!". El director le aseguró que sólo sería hasta que la chica se sintiera mejor.

La madre quería que su hija aprendiera, así que **la envió**[2] a la escuela especial, pero aún allí no entendía nada. Por eso, regresó al doctor y le dijo: "No me diga que no hay alguna medicina para ayudarla a entender". El doctor le mandó que tomara una medicina, diciéndole: "Amiguita, cuando tomes esta medicina, vas a entender todo. No te olvides de tomarla todos los días. Cuando la tomes el lunes, que es el primer día, entenderás un poquito. Cuando la tomes el martes, entenderás más. Cuando la tomes el miércoles, entenderás casi todo. Y cuando la tomes el viernes, no tendrás problemas de comprensión". ¡Por suerte, la chica fue con su madre porque la única que entendió lo que dijo el doctor fue la madre! "Les sugiero que vayan ahorita para recoger la medicina". Madre e hija fueron inmediatamente a comprar la medicina. Al regreso de la farmacia, su madre le dijo: "Mañana, antes de que vayas a la escuela, no te olvides de tomar la medicina", pero la chica no entendió nada.

Al día siguiente, la chica iba a salir para la escuela y su madre le recordó: "Antes de que vayas, no te olvides de tomar la medicina. Cuando la tomes, vas a entender un poco". La chica se quejó, pero su madre le mandó que la tomara, diciendo: "El doctor te mandó que la tomaras para que puedas entender". En la escuela, la chica no entendió nada y al llegar a casa, le explicó el problema a su madre. La madre le dijo: "No me digas que la medicina no sirve. Hoy es el primer día. Esperaremos al segundo día". Pero la chica tampoco mejoró el segundo día, ni el tercero, ni el cuarto. Entonces madre e hija volvieron al doctor.

El doctor le mandó que fuera a un psicólogo porque ella no recordaba nada del día del accidente. Le dijo: "No vas a recordar nada hasta que un psicólogo te haga un tratamiento especial. Necesitas el tratamiento para que puedas recordar todo lo que te sucedió el día del accidente". El psicólogo la vio y le dijo: "Dime la última cosa que recuerdes antes del accidente". Ella cerró los ojos para poder recordarlo mejor... "...Estaba en la clase de español y masticaba un chicle gigante... Entonces la profe se me acercó y me pidió que hablara en español... En cuanto me lo pidió, me saqué el chicle de la boca y me lo puse en una oreja, pero era muy grande... Por eso, lo partí en dos y puse una parte en una oreja y otra parte en la otra". El psicólogo examinó las orejas de la chica y escribió: "Antes de que te vayas, yo te sugiero que pases por un **otorrinolaringólogo**[3] para que te saque el chicle de las orejas".

[1]ran her over **[2]sent her** **[3]ear, nose and throat doctor**

La historia continúa...
I. En el consultorio del otorrinolaringólogo

√ La chica fue al otorrinolaringólogo y le contó su historia mientras éste le sacaba el chicle de las orejas. Contesta las preguntas como si fueras la chica.

1.) Médico: ¿Por qué te pusiste el chicle en las orejas?
Chica:

2.) Médico: ¿Por qué no te lo sacaste después?
Chica:

3.) Médico: Cuéntame sobre tu accidente.
Chica:

4.) Médico: ¿Cuánto tiempo pasó hasta que volviste a la escuela?
Chica:

5.) Médico: ¿Y qué pasó cuando volviste?
Chica:

6.) Médico: ¿Cómo reaccionaron tus padres cuando los profesores les dijeron que necesitabas ir a una escuela especial?
Chica:

7.) Médico: ¿Por qué te mandaron a un psicólogo?
Chica:

8.) Médico: ¿Por que te sugirió el psicólogo que vinieras aquí?
Chica:

II. En la escuela

√ ¿Qué te parece que le pasará a la chica cuando vuelva a la escuela? Discute con un compañero las preguntas que se encuentran a continuación. Después, organiza tus respuestas en forma de párrafo.

1. ¿Le contará al director su problema o estará demasiado avergonzada para contarle?
2. ¿La aceptarán sus amigos o se burlarán de ella?
3. ¿Qué pasará con los profesores? ¿Le darán una segunda oportunidad?
4. ¿Cómo estará después de poder oír? ¿Será normal o tendrá más problemas? ¿Descubrirá que tiene súper-poderes como resultado del accidente?

√ **Puedes empezar tu párrafo así:**

Mi compañero y yo pensamos que ...
(Lucía) y yo creemos que...
No creemos que...

Escuelas en América Latina

Muchos estudiantes que viven en América Latina tienen que pagar los estudios en la escuela, ¡incluso en las escuelas **públicas**! La educación pública no cuesta tanto como las escuelas privadas, pero las dos requieren que los estudiantes lleven puestos uniformes. En muchos países latinoamericanos, los niños trabajan en vez de ir a la escuela. Así pues, es un privilegio asistir a la escuela y la mayoría de los estudiantes asiste con gusto.

Algunas opiniones acerca de la historia

√ Algunos chicos leyeron la historia e hicieron estos comentarios. Léelos y decide con cuáles estás de acuerdo. Después, decide cuáles se refieren a una situación hipotética pasada, cuáles a una situación hipotética presente y cuáles a una posibilidad en el presente. La primera sirve como modelo.

1. Si yo tuviera un accidente, no iría a la escuela hasta que me sintiera muy bien, o sea, durante mucho tiempo. (Leandro, 14 años)
   Estoy/No estoy de acuerdo. **Situación hipotética presente**

2. Si la chica regresa a la escuela, tendrá que hacer muchos exámenes para aprobar el año. (Cecilia, 12 años)
   Estoy/No estoy de acuerdo.

3. Si esto le hubiera pasado a mi hija, la habría llevado a un otorrinolaringólogo. (Marina, 19 años)
   Estoy/No estoy de acuerdo.

4. Si yo estuviera en el lugar de la chica, me cambiaría de escuela. (Sol, 13 años)
   Estoy/No estoy de acuerdo.

5. Si alguien les cuenta a los compañeros lo que pasó con la chica, todos se reirán de ella. (Manuel, 15 años)
   Estoy/No estoy de acuerdo.

6. Si la chica no hubiera estado masticando chicle en la clase de español, nada de esto habría pasado. (Julián, 16 años)
   Estoy/No estoy de acuerdo.

√ Utiliza algunos de los comienzos de las oraciones anteriores y da tu opinión.
Ejemplo: Si yo tuviera un accidente, no iría a la escuela durante un año.

7. Si la chica regresara a la escuela, ...

8. Si esto me hubiera pasado a mí, ...

9. Si yo estuviera en lugar de la chica,...

10. Si alguien les cuenta a los compañeros lo que pasó con la chica, ...

Mini-lectura cultural: Las tiendas naturistas

En casi toda Sudamérica se encuentran herboristerías o tiendas naturistas, donde se pueden encontrar hierbas y plantas medicinales. A diferencia de las farmacias, estas tiendas venden productos naturales para cuidar la salud y lograr una mejor calidad de vida. También se pueden encontrar productos naturales para el cuidado del cuerpo, el cabello y el rostro.

Estos productos pueden administrarse en gotas, tés, cápsulas, cremas o jarabes; pero el uso continuo es el que dará el resultado esperado. El que quiera curarse en forma natural no se puede olvidar de tomar las gotitas para la memoria o de colocarse la crema en el rostro para lucir mejor. Como todo medicamento, deben ser usados diariamente para curar los dolores o enfermedades.

Muchas mujeres concurren a las herboristerías en busca de algún remedio natural a base de plantas o de algún producto anti-edad, pero también muchos hombres entran a curiosear y a ver qué se ofrece en ellas. Siempre encuentran alguna cosa útil y en caso de **malestar**[1], el vendedor les indica lo que pueden tomar para sentirse mejor.

En Perú, Colombia o Venezuela hay muchas tiendas naturistas que venden productos confeccionados con plantas de la selva. También Chile tiene buenas herboristerías donde se encuentran productos con propiedades curativas extraídos de los árboles de los bosques del sur.

Muchas de las propiedades medicinales de las plantas fueron descubiertas por los pueblos indígenas. Para ellos, la búsqueda del **bienestar**[2] - y no sólo de la salud corporal- se basa en un saber enraizado en la tradición comunitaria. Para los aborígenes, la enfermedad es el resultado de un desequilibrio entre el hombre, la naturaleza y la comunidad. Por esa razón, para muchos, las plantas medicinales, además de la salud, esconden el secreto de la armonía y la tranquilidad de las sociedades primitivas.

La Organización Mundial de la Salud reconoce a la medicina no convencional (u homeopática) como una forma de mantener el bienestar y recomienda combinarla con la medicina occidental. El consumo de las hierbas curativas ofrece la posibilidad de llevar una vida sana y así obtener la salud que todo organismo necesita.

[1]poor health, poor state of being   [2]well being

√ Haz un diagrama Venn para comparar los productos naturales para la salud de Sudamérica con los productos naturales que se usan en los EEUU. Incluye los productos usados, para que son usados, las intenciones de los compradores, los lugares donde se los compran, los precios, etc.

¿Quinceañera o pesadilla?

¿Quinceañera o pesadilla?

Era una época muy importante para Leticia Delfín Sánchez. Iba a cumplir los quince años dentro de un mes e iba a dar una gran fiesta para festejarlo. Leticia era muy exigente y, durante dos años enteros, había planeado la fiesta para que todo fuera perfecto -el vestido, los adornos, la comida, la música de mariachis, los invitados, etc: "Quiero que laves mi cabello con un champú de rosas francesas especial para que todos mis amigos puedan oler perfume de rosas cuando yo llegue a la fiesta", le había dicho al peluquero. Cuando la **diseñadora de ropa**[1] le probó el vestido, ella insistió en que nadie fuera con ella para no tener que revelar el secreto de su modelo exclusivo. "No te olvides de que mi quinceañera tiene que ser más espectacular que la de mis amigas", le había dicho a su madre muchas veces. "Te sugiero que no me digas que algo de lo que elijo es muy caro", le decía a su padre dondequiera que fueran. A sus amigas les decía: "Cuando me vean, se volverán locas de envidia", y sus amigas pensaban que seguramente tenía razón.

Los padres de Leticia Delfín Sánchez querían que ella fuera feliz y nunca le decían que no. Es más, si en la quinceañera de alguna de sus amigas, Leticia había visto un adorno que le gustaba, le sacaba una foto con la cámara de su celular. Cuando llegaba a su casa le pedía a su padre o a su madre que mirara la foto y buscara un adorno mejor: "Antes de que me vaya a la escuela mañana, quiero saber dónde puedo comprar un adorno mejor", le decía a su padre. "No seré feliz a menos que vea flores más lindas que las que había en la fiesta de Enriqueta", le decía a su madre, y la madre le respondía: "Cuando tomes el desayuno mañana, tendrás **un ramo**[2] igual o mejor que el que trajiste". Día tras día, la mamá se levantaba tempranito y cuando el padre le preguntaba adónde iba, ella le decía: "Leticia quiere que vaya a la florería a buscar unas flores para la mesa".

Algunas personas seguramente pensarían que Leticia era muy malcriada, pero la quinceañera era muy importante para Leticia. Toda su vida ella había soñado con la quinceañera perfecta porque quería que su futuro fuera perfecto. Leticia había nacido en una familia donde la quinceañera era esencial para tener éxito en la vida. Si las chicas de la familia Delfín Sánchez querían tener éxito en la vida, debían tener una quinceañera especial. Si querían vivir en una casa con jardín y bellas flores, debían tener flores hermosas en la quinceañera. Si querían tener dinero para comprarse buena ropa, debían vestir elegantemente en la quinceañera. Leticia se imaginaba en la fiesta con un vestido blanco y elegante. Se imaginaba rodeada de todas sus amigas, porque para tener muchas amigas en el futuro tenía que invitar a todas sus amigas.

La fiesta, las amigas, las flores, los adornos y el vestido eran importantes; pero por sobre todo, Leticia vivía pensando en el chico especial que iba a acompañarla en la celebración. Soñaba con un muchacho rico, para tener un marido rico en el futuro. Soñaba con un muchacho romántico y guapísimo, para tener un marido romántico y guapísimo, aparte de rico. También imaginaba que bailaba con él ese día hasta que sentía que no había nadie más en la fiesta. Después, bailaría con él toda la vida hasta que no hubiera más canciones que bailar. Cada vez que pensaba en su quinceañera, pensaba en ese muchacho. Pero sólo eran sueños.

¡Cuánto me cuentas!

Todo parecía perfecto en la vida de Leticia a excepción de una cosa. Cuando Leticia era chica, los padres de Leticia les habían prometido a los Preciado Montoya, sus amigos y ex-vecinos, que Leticia iría a su quinceañera con el hijo de éstos, Leopoldo. Cuando pensaba en este detalle, Leticia se ponía muy triste. Leticia no había visto a Leopoldo Preciado Montoya hacía cinco años, porque su familia se había mudado a otro estado. Leopoldo había sido compañero de Leticia sólo cuando tenía once años. Cuando la familia de Leopoldo se fue a California, Leopoldo se cambió a una escuela privada cerca de su nueva casa.

De chica, Leticia había tenido que **soportar al pesado**[3] de Leopoldo, que no sólo tenía orejas más grandes que las de un elefante sino que también tenía mal aliento porque nunca se cepillaba los dientes. Los amigos de Leopoldo tenían razón cuando decían que el aliento de Leopoldo era más fuerte que el de un hipopótamo. Leopoldo no se daba cuenta de que era necesario cepillarse los dientes dos veces al día, casi se podría decir que se los cepillaba dos veces al año. ¡Qué desgracia! A Leticia no le caía bien Leopoldo cuando iban juntos a la escuela. Además de los dos problemas que ya mencionamos, Leopoldo maltrataba a Leticia. Siempre la molestaba, le pegaba y le tiraba insectos. Y, peor que eso, Leopoldo hacía cosas tan intolerables que ¡no se pueden escribir aquí! ¡Qué asco! Es más, Leopoldo le pedía comida que la mamá de Leticia le había preparado (para Leticia) mientras le decía: "No te dejaré en paz hasta que me des algo de comer. Te seguiré dondequiera que vayas mientras no me des algo de beber".

El día que le dijeron que Leopoldo iba a entrar con ella a la fiesta, Leticia se puso de muy mal humor, pero tuvo que aceptarlo porque el padre le dijo: "Para que puedas tener la quinceañera que quieres, tendrás que entrar con Leopoldo. Si no entras con él, no habrá fiesta". Después, Leticia estuvo de mal humor durante dos semanas. Estaba triste, y lloraba y se quejaba todo el tiempo. Por eso, los abuelos de Leticia les recomendaron a los padres que la llevaran a un psicólogo. Tanto se quejaba y lloraba en las sesiones, que el psicólogo se puso algodón en las orejas porque no quería escucharla más. Ella gritaba: "¡No es justo! ¡No me gusta!", pero nadie la escuchaba. ¡Pobre Leticia!...

[1]**clothes designer** [2]**bouquet (also, branch of tree or bush)** [3]**put up with him**

√ Escribe V (verdadero) o F (falso) según la historia. Corrige las oraciones falsas.

______ 1. Leticia iba a cumplir 16 años.

______ 2. Soñaba con entrar a la fiesta con su vecino.

______ 3. Ella no había visto a Leo durante 4 años porque no le caía bien.

______ 4. Leo tenía una sonrisa brillante y dientes bien blancos.

______ 5. Leo era muy educado.

______ 6. A Leo le importaba mucho estar bien arreglado.

______ 7. La quinceañera era muy importante para Leticia.

______ 8. Los padres de Leticia le recomendaron que fuera a un psicólogo.

______ 9. Al psicólogo le dolían los oídos y por eso, se puso algodón.

______ 10. El futuro de Leticia dependía de su quinceañera.

Entrevista a Leticia

√ Una periodista de la revista "Quinceañeras" entrevistó a Leticia unos días antes de la fiesta y le hizo las preguntas escritas a continuación. Respóndelas como si fueras Leticia.

1.) **Periodista:** Si pudieras hacer la quinceañera en cualquier lugar, ¿dónde la harías?

Leticia:

2.) **Periodista:** Si pudieras entrar a la quinceañera con cualquier persona, ¿Con quién entrarías?

Leticia:

3.) **Periodista:** Si pudieras servir cualquier tipo de comida, ¿qué tipo de comida servirías? ¿Qué tipo de comida vas a servir?

Leticia:

4.) **Periodista:** Sabemos que la quinceañera es muy importante para ti. ¿Por qué?

Leticia:

5.) **Periodista:** ¿Qué piensan tus padres de una fiesta tan cara?

Leticia:

6.) **Periodista:** ¿A quiénes invitaste a la fiesta? ¿Cuántas personas invitaste?

Leticia:

7.) **Periodista:** Si pudieras invitar a cualquier persona, ¿a quién invitarías?

Leticia:

8.) **Periodista:** ¿Cuál es más importante- tu quinceañera o tu boda? ¿Por qué?

Leticia:

¿Qué opinas?

√ **Contesta las siguientes preguntas y explica el porqué.**

1. ¿Cómo describirías a Leticia? ¿Piensas que era malcriada Leticia?

2. ¿Tenía razón el padre de Leticia al decirle que no habría fiesta si no entraba con Leopoldo?

3. Si estuvieras en el lugar de Leticia, ¿harías algo para no ir a la fiesta con Leopoldo?

4. ¿Cómo describirías la actitud del psicólogo?

5. ¿Irá Leticia a la fiesta con Leopoldo?

Otro punto de vista

√ **Escribe un párrafo en el diario de Leticia 7 días antes de su quinceañera. Relata cómo te sientes y qué has organizado.**

Lectura cultural: La quinceañera

En muchos países latinos, el cumpleaños más importante de una chica es el de quinceañera. Cuando una chica cumple los quince, ya no es una niña sino que es una mujer. Los preparativos empiezan meses antes de la fecha de cumpleaños e incluyen a toda la familia y a los amigos de la chica. Se preparan invitaciones que se entregan en mano. Se elige un vestido elegante, generalmente de colores suaves. Se contrata a un fotógrafo para que saque fotos y grabe un DVD con los momentos importantes de la fiesta. Una quinceañera es casi como una boda.

La celebración de la quinceañera proviene de una tradición azteca y tolteca. A los quince años, las niñas iban a la escuela a aprender la cultura y la vida como sacerdotisa o la vida matrimonial. Al regresar de la escuela, su familia realizaba una fiesta y, al terminar la fiesta, la niña se mudaba con su esposo. Con la conquista española, se introdujo la celebración de una misa, tradición que aún se conserva en algunos países latinoamericanos.

Generalmente, las quinceañeras se realizan en un salón especial o, en el caso de las familias más humildes, en sus casas o en clubes. Si es en el salón de una residencia de fiestas o en un hotel, hay que reservar el lugar con mucha anticipación. Los dueños de los salones de las grandes ciudades sugieren hacer la reserva casi un año antes de la fecha de la fiesta.

En Méjico, la quinceañera tiene "una corte de honor" compuesta por los amigos más cercanos. Siete chicas, o "damas de honor", y siete muchachos, o "caballeros de honor", acompañan a la quinceañera a la fiesta. La fiesta empieza con una misa de agradecimiento y la entrega de regalos por parte de la familia, que incluyen joyas y una Biblia. En el salón, hay una banda musical o un disc-jockey que pasa distintos tipos de música. Es tradicional que la quinceañera baile un vals con todos los parientes y amigos masculinos.

En Argentina, la quinceañera entra al salón del brazo de su padre. Después de comer y bailar mucho, la quinceañera entrega 15 velas a las quince personas más importantes en sus primeros quince años. Al darle una vela, la quinceañera da un pequeño discurso que emociona a los invitados. La torta es generalmente blanca y tiene cintas con pequeños regalitos. Una de las cintas tiene un anillo dorado. Las chicas solteras tiran de las cintas antes de cortar la torta. Se cree que quien saque la cinta con el anillo, será la próxima chica en casarse.

La quinceañera es una tradición que se ha mantenido a través de los años. La celebración dura toda la noche y muchas terminan con un tradicional desayuno. Las muchachas de distintos países latinoamericanos consideran su cumpleaños de quince como una de las fechas más importantes de su vida.

√ Contesta las siguientes preguntas.

1. ¿Te parece importante la quinceañera?

2. ¿Qué lugar elegirías para una quinceañera?

3. Algunas chicas prefieren realizar un viaje con un grupo de quinceañeras, acompañadas por un "coordinador", en lugar de una fiesta. Si te dieran a elegir, ¿qué opción elegirías y por qué?

Imagina

√ Tienes que organizar una celebración de quince. Las opciones son una quinceañera o viaje de quinceañeras. Contesta las siguientes preguntas para planear cada evento.

Una quinceañera: Decide con tus compañeros lo siguiente:

a.) ¿Dónde será? ____________________

b.) ¿Cuándo será? ____________________

c.) ¿A quién invitarán? ____________________

d.) ¿Qué comerán? ____________________

e.) ¿Cuánto durará la fiesta? ____________________

f.) ¿Qué música tocarán? ____________________

g.) ¿Qué beberán? ____________________

h.) ¿Qué juegos o actividades realizarán? ____________________

Un viaje de quinceañeras: Decide con tus compañeros lo siguiente:

a.) ¿Adónde irán? ____________________

b.) ¿Cuándo irán? ____________________

c.) ¿Quiénes irán? ____________________

d.) ¿Quién será el coordinador? ____________________

e.) ¿Cuánto tiempo estarán? ____________________

f.) ¿Qué actividades realizarán? ____________________

Capítulo seis:
El príncipe de la quinceañera

Mini-cuento A

era vergonzosa / le daba vergüenza

se animó / se animaba

le pedía / pidió que diera

debería haber dicho

no me hagas

aunque me haya puesto

Mini-cuento B

(no) es necesario que tengas

consiguió un trabajo de / consiguió un puesto de

trató de que …

juntó / había juntado dinero para

hace / hizo un descuento

no me importa que hayas (trabajado)

Mini-cuento C

después de que me haya ido

debería haberle dicho

hace / hacía mucho tiempo

quería que volviera/hiciera

cuando estuviera / tuviera

a pesar de (que)

Mini-cuento D

si hubiera alguien / si no hubiera nadie

haz lo que quieras

parece / parecía

prometió / había prometido que iría

es posible que vaya/venga

suspiró

Mini-cuento A

era vergonzosa / le daba vergüenza	**se animó / se animaba**
le pedía/pidió que diera/fuera/contestara	**debería haber(le) dicho**
aunque me haya (cortado/rizado/puesto)	**no me hagas**

Había una chica que se llamaba María. María era una chica muy hermosa con su cabello negro, lacio y brillante. Además, tenía el cabello muy largo porque nunca se lo había cortado. Pero María era tan hermosa como vergonzosa. Era tan vergonzosa que nunca salía a ningún lado. Si sus amigas le pedían que fuera con ellas al cine, ella no iba porque le daba vergüenza y no se animaba a decirles que sí. Entonces, se quedaba en casa y pensaba: "Debería haberles dicho que sí. Si hubiera aceptado ir al cine, habríamos visto una linda película".

María era tan vergonzosa que nunca había tenido novio. Es más, cuando algún chico le pedía que saliera con él, ella no aceptaba porque le daba vergüenza y no se animaba a decir que sí. Después pensaba: "Debería haberle dicho que saldría". También le daba vergüenza decir que no, así que simplemente no decía nada. Un día, un chico maleducado la invitó al centro comercial. María tampoco le contestó porque le daba vergüenza decirle que no. Ese día, NO pensó: "Debería haberle dicho que sí". Es más, estuvo contenta de no haberle dicho nada.

En la escuela, a María le daba vergüenza **dar lección**[1] y también le daba vergüenza responder las preguntas de los profesores. Cuando los profesores le pedían que diera la lección, María no se animaba a contestar. Después pensaba: "Debería haber dicho la lección". Si los profesores le pedían que contestara una pregunta, ella tampoco contestaba porque le daba vergüenza y no se animaba. Después pensaba: "Debería haber dicho que sabía la respuesta". Obviamente, María tenía calificaciones muy bajas: "No participa en clase" era el comentario típico de sus profesores.

Un día, un chico más guapo que Brad Pitt le pidió que saliera con él, y ella no le contestó porque le daba vergüenza decirle que sí. Después pensó: "Debería haberle dicho que sí. Si le hubiera dicho que sí, habríamos salido a pasear y habríamos pasado un buen momento". Otro día, el muchacho le pidió que fuera a un restaurante con él. Ese día, María se animó y aceptó la invitación, aunque le diera vergüenza.

María decidió que quería un peinado nuevo y, muy contenta, se fue a una peluquería elegante. El estilista le preguntó si necesitaba lavarse el cabello, pero María no se animó a decirle que ya se había lavado el cabello. Entonces el estilista le dijo: "No me hagas esperar. Hay mucha gente. Te lo lavaré igual". El estilista estaba tan apurado que en vez de champú, agarró una botella de Dr. Pepper. Le echó el Dr. Pepper y el cabello de María se volvió rizado y loco. ¡Qué desgracia! El estilista le pidió que le dijera si le gustaba ese estilo, pero María no se animó a decirle: "No me hagas nada más. Mi cabello luce horrible". El estilista insistió: "No me hagas repetir mi pregunta. Hay mucha gente y estoy apurado. Te haré un corte 'salvaje'". María no se animó a decirle que no y el estilista le hizo un corte salvaje. El estilista comentó: "El cabello verde y amarillo sería perfecto para tu estilo, ¿te gustaría?". María no se animó a decirle: "No me hagas nada más porque luzco **¡espantosa!**[2]" y el estilista **tiñó**[3] el cabello de María de verde y amarillo.

Con el corte 'salvaje', María no se sintió tan avergonzada y se animó a ir a Target. Allí, compró un sombrero grande y fue al restaurante con el sombrero puesto. Cuando el muchacho la vio, no la reconoció con el sombrero y le dijo: "Hola, espero a una chica bonita con cabello negro y largo". Con el corte nuevo, ella se animó a decirle: "Soy yo, aunque esté distinta. Ahora llevo sombrero". El muchacho respondió: "Me gustas aunque te hayas puesto ese sombrero". Ella le dijo: "¿Te gusto aunque me haya puesto este sombrero? Bueno, me puse este sombrero porque me he rizado el cabello". El muchacho le respondió: "Pues me gustas aunque te hayas rizado el cabello". María se animó nuevamente: "¿Te gusto aunque me haya puesto este sombrero y me haya rizado el cabello? Entonces, me he rizado el cabello y me lo he cortado". El muchacho respondió: "Pues me gustas aunque te hayas cortado el cabello. Es más, me gustarías con el cabello de cualquier color". María le dijo: "¿Cómo adivinaste?" y se quitó el sombrero. Al chico le gustó mucho el nuevo estilo de María y le dijo: "Antes me gustabas bastante, pero ahora me gustas más".

[1]**be tested on a lesson** [2]**horrible** [3]**dyed**

Da tu opinión acerca de la historia

1. Si hubieras estado en el lugar de María, ¿habrías ido a la cita con el cabello verde y amarillo? Explícalo.

2. ¿Realmente le gustaba al muchacho el cabello de María?

3. ¿Deberían los padres haberle sugerido a María que fuera a un psicólogo?

4. ¿Cuáles de estas cosas pasaron después? Explícalo.

 a.) María volvió al estilista y se tiñó el cabello de negro nuevamente.

 b.) María decidió que el cabello verde le gustaba.

 c.) María y el chico guapo se pusieron de novios.

 d.) Los padres de María la vieron con el cabello verde y se desmayaron.

 e.) Con el cabello verde, María no fue más vergonzosa.

 f.) María se tuvo que cambiar de escuela porque no aceptaban estudiantes con cabello verde.

 g.) Con su nuevo estilo, María fue muy popular.

Da tu opinión acerca de ti

1. Si tu novio/a se tiñera el pelo de verde y amarillo, ¿romperías con él/ella?

2. ¿Alguna vez te sentiste diferente después de un corte de pelo?

3. ¿Cuál es tu actor/actriz favorito/a? ¿Te gustaría aunque se hubiera teñido el cabello de verde y amarillo?

4. ¿Cómo cambiaría tu vida si te tiñeras el cabello de verde y amarillo?

La versión del chico: Antes de la cita

√ Como el chico necesitaba consejo, unos días antes de invitar a María, le escribió un mail a su hermano mayor que vive en Canadá. Completa la conversación con las siguientes expresiones que están numeradas según el mensaje al que pertenecen.

no te olvides (4)	**tenga suerte (3)**	**te dé vergüenza (2)**
haberme animado (2)	**esté horrible (4)**	**muy vergonzosa (1)**
me diga (1)	**no me animo (1)**	**cuando te animes y la invites (2)**
me gusta mucho (1)	**me animé (3)**	**sea perfecta (4)**
la inviten (1)	**debería haberla (2)**	**fuera a comer (3)**

Mensaje #1

Para: wilsontormes@yahoo.com.mx
Añadir Cc I Añadir CCO:
Asunto: Una chica
Adjuntar un archivo:
Fecha: 10 de octubre, 2007 11:05:59 AM MST
De: sebastiántormes@gmail.com

Hola hermano. Necesito pedirte un consejo. Hay una chica en mi escuela que (1) ________ ______________. Es muy hermosa y tiene el cabello negro, lacio y brillante. Se llama María y es (2) _____________ . Por eso, no sale a ningún lado. Le he pedido a sus amigas que (3) _______________ al cine para verla, pero ella no va. La verdad es que (4) _______________ a invitarla porque tengo miedo de que (5) ________________que no. ¿Qué debo hacer? Gracias.

Sebastián

Mensaje #2

Para: sebastiántormes@gmail.com
Añadir Cc I Añadir CCO:
Asunto: Una chica
Adjuntar un archivo:
Fecha: 10 de octubre, 2007 5:30:32 PM MST
De: wilsontormes@yahoo.com.mx

Hola, Seba. Si la chica realmente te gusta, creo que tienes que animarte aunque (6)_________ __________________. Si le dice que sí a otro chico, vas a pensar: (7) "___________ ______________ invitado al cine" o "Debería (8)________________________". Después de todo, un "no" es sólo un "no". (9)_________________________________, cuéntame qué pasó.

Wilson

Mensaje #3

Para: wilsontormes@yahoo.com.mx
Añadir Cc I Añadir CCO
Asunto: Una chica
Adjuntar un archivo:
Fecha: 11 de octubre, 2007 10:05:47 AM MST
De: sebastiántormes@gmail.com

Tenías razón, hermano. Ayer (10) ____________________ y le pedí que (11) ____________ _____________ conmigo. ¡Ni te imaginas! Se puso colorada, pero me aceptó. Saldremos esta noche. Ojalá que (12) _________________________. Gracias.

Sebastián

Mensaje #4

Para: sebastiántormes@gmail.com
Añadir Cc I Añadir CCO
Asunto: Una chica
Adjuntar un archivo
Fecha: 11 de octubre, 2007 5:30:32 PM MST
De: wilsontormes@yahoo.com.mx

Bien hermano. Espero que tu cita (13) ______________________. (14) ______________ ______________ de darte un buen baño y cepillarte los dientes. Cuando te encuentres con ella, dile que luce hermosa aunque (15) __________________________. Es muy importante para una chica que los chicos le digan que está muy bella. Suerte.

Wilson

La versión del chico: Después de la cita

√ Después de la cita, Sebastián le escribió un mail a su hermano contándole cómo le fue en la cita. Escribe el mail como si fueras Sebastián.

Para: wilsontormes@yahoo.com.mx
Añadir Cc I Añadir CCO:
Asunto: Una chica
Adjuntar un archivo:
Fecha: 12 de octubre, 2007 10:15:03 AM MST
De: sebastiántormes@gmail.com

____

____

____

____

____

____

____

____

____

____

____

____

Mini-lectura cultural: Desfiles de modas

Todos los años, en la ciudad de Viña del Mar, Chile, se realizan varios **desfiles de modas**[1]. Pero uno de esos desfiles, organizado por Roberto Giordano, un famoso peluquero argentino, tiene algo diferente. Allí, además del tradicional desfile de ropas, famosas modelos chilenas, uruguayas, bolivianas, paraguayas, argentinas y hasta alguna europea, se dejan peinar delante del público. Giordano les hace diferentes peinados, les cambia el color y hasta transforma en rizados los cabellos lacios. A veces les corta el pelo, pero como las modelos son tan bonitas, no les da vergüenza y salen a desfilar con peinados ridículos especialmente realizados para el desfile. Como todas confían en el prestigioso peluquero ninguna le dice "no me hagas ese corte o ese peinado".

En cuanto a la ropa, además de mostrar los vestidos, zapatos y trajes de baño; el desfile de Giordano es una verdadera vidriera internacional para la moda sudamericana. Allí, los diseñadores latinoamericanos tratan de imponer un estilo propio, siempre cambiante, pero diferente al de los europeos.

Aunque hay ropa de alta costura, estos desfiles son distintos a los que se realizan en Europa, con modelos muy serias y que caminan muy rápido. En los shows de Giordano, las modelos saludan al público que está mirando el desfile a lo largo de **la pasarela**[2], le sonríen, le tiran besos, reparten regalitos que promocionan marcas; y algunas hasta se animan a bailar, convirtiendo el desfile en una verdadera fiesta.

Los pequeños también se animan a desfilar promocionando ropa de niños. Aunque los peinados para ellos son iguales a los de cualquier peluquero, es divertido verlos pasar, sobre todo a los más chiquitos, muchos de los cuales son tan vergonzosos que necesitan ir de la mano de algún mayor que los guíe. En cada espectáculo, que se hace al aire libre y al anochecer, siempre hay algún cantante latinoamericano famoso que es tan aplaudido como las modelos o los niños.

Pero no sólo en Chile se realizan estos **deslumbrantes**[3] desfiles de moda y peinados; también hay desfiles similares en la Plaza de Toros de Bogotá, Colombia, en Punta del Este, Uruguay, o en distintas ciudades de Argentina y siempre tienen mucho éxito.

Sin duda no es barato asistir a estos desfiles de moda y peinados. Pero, además de divertirse, el público hace **caridad**[4], ya que el dinero **recaudado**[5] es para ayudar a hogares de niños necesitados o a hospitales. Es más, en varias ocasiones se donan alimentos (comida) para instituciones a cambio de las entradas.

[1]**fashion shows** [2] **runway** [3]**dazzling** [4]**charity** [5]**collected**

Da tu opinión

1. ¿Te gusta mirar los desfiles de modas? Explícalo.

2. ¿Te gustan las modas modernas que crean los estilistas? ¿Usas ropa a la moda? Explícalo.

Mini-cuento B

(no) es necesario que tengas	consiguió un trabajo (puesto) de
trató de que (le diera)	juntó / había juntado dinero para
hace / hizo un descuento	no me importa que hayas (trabajado)

Había un muchacho que quería hacer surf profesionalmente. El muchacho era muy pobre y no tenía dinero para comprar una tabla de surf profesional. Trató de que el padre le diera el dinero, pero el padre le dijo: "No es necesario que tengas una tabla profesional al principio. Puedes construirte una". El muchacho consiguió un trabajo por la tarde para juntar dinero para comprar la tabla. Consiguió un trabajo de pintor de tablas de surf y así juntó dinero para comprar los materiales para su tabla. Fue a una fábrica de materiales para tablas de surf, pero como el dinero que había juntado para la tabla no era suficiente, trató de que le hicieran un descuento. El empleado le dijo: "No me importa que hayas trabajado mucho para juntar el dinero. Nuestros materiales son de primera calidad. No puedo hacerte un descuento". Como no le hizo un descuento, el muchacho no pudo comprar los materiales.

Después, el muchacho consiguió un puesto de reparador de tablas de surf. Cuando consiguió el puesto de reparador, el jefe le dijo: "Para este trabajo es necesario que tengas una motocicleta". El muchacho le dijo que había juntado un poco de dinero, pero no era suficiente para comprarse una motocicleta". El jefe le dijo: "No es necesario que tengas todo el dinero. Yo tengo una motocicleta que puedes comprar. Te haré un descuento y me puedes pagar el resto reparando tablas de surf". El muchacho le dijo que nunca había manejado una. El dueño sabía que el muchacho necesitaba juntar dinero, por eso le dijo: "No me importa que nunca hayas manejado una motocicleta. Es muy fácil". Así, el muchacho le dio al jefe el dinero que había juntado, el jefe le hizo un descuento y el muchacho consiguió dos cosas: un trabajo de reparador de tablas de surf y una motocicleta vieja.

Entonces, el muchacho iba y venía en su motocicleta con tablas para pintar y tablas para reparar. En cada viaje, llevaba una tabla para reparar o una tabla reparada. En cada viaje, juntaba un poco más de dinero para comprar los materiales de primera calidad. Además, en cada viaje, hacía un poco de surf con las tablas que tenía para reparar. Mientras hacía surf y reparaba las tablas cantaba: *"Para hacer surf, no es necesario que tenga dinero. Para hacer surf, no importa que haya juntado dinero. Para hacer surf, sólo importa que tenga tablas para pintar. Es necesario que tenga tablas para reparar. Tararí... tarará".*

Un día, estaba en la playa cantando su canción y vio a una chica muy hermosa que caminaba por la playa. La chica tenía una tabla de surf y quería que el muchacho la pintara. Se acercó al muchacho y le pidió que pintara su tabla. El chico trató de que la chica lo dejara usar la tabla y por eso, le respondió: "Si quieres que yo pinte tu tabla, necesitaré usarla un rato para asegurarme de que es una tabla que **merece**[1] mi talento. Soy muy bueno. Mis pinturas son de primera calidad y mis reparaciones también". La chica lo dejó meterse en el agua con su tabla de surf y él hizo surf durante más de una hora. Mientras hacía surf, el chico se chocó con una ola grande y la tabla se rompió. Ahora, la chica iba a necesitar que el muchacho reparara y pintara la tabla.

Cuando regresó donde estaba la chica, trató de conseguir otro trabajo, diciendo: "Es necesario que tengas cuidado con esta tabla. No sólo necesita pintura sino que también necesita reparación". La chica se enojó y trató que le hiciera un descuento diciéndole: "Has roto mi tabla. Por eso, es necesario que me hagas un descuento". El chico le respondió: "No importa que haya roto tu tabla. Si no fuera de mala calidad, no se habría roto." Frustrada, la chica le dijo: "Solo he juntado dinero suficiente para pintar la tabla. No tengo suficiente dinero para repararla también". Recordando las palabras del empleado de la fábrica, le dijo: "No me importa que hayas trabajado mucho para juntar el dinero para pintar la tabla. Mis materiales son de primera calidad. No puedo hacerte un descuento".

La chica trató de que le hiciera el 5 % de descuento, pero el muchacho se negó. El muchacho trató de que la chica entendiera que él hacía un excelente trabajo, pero la chica no entendió. El muchacho trató que la chica no se ofendiera, pero la chica se ofendió. Después de pelear un rato, la chica se ofendió porque el chico no le hizo un descuento, agarró su tabla de surf y se fue a buscar a otro reparador. El muchacho volvió a cantar su canción: *"Para hacer surf, no es necesario que tenga dinero. Para hacer surf, no importa que haya juntado dinero. Para hacer surf, sólo importa que tenga tablas para pintar. Es necesario que tenga tablas para reparar... Tararí... tarará".*

Pronto, un señor bajito se le acercó con una tabla exótica. Le pidió que la pintara y, como antes, el chico trató de que el señor lo dejara usar la tabla y por eso, le respondió: "Si quieres que yo pinte tu tabla, necesitaré usarla un rato para asegurarme de que es una tabla que merece mi talento. Soy muy bueno. Mis pinturas son de primera calidad y mis reparaciones también". El señor bajito lo dejó meterse en el agua con su tabla de surf y el chico hizo surf durante más de una hora. Mientras hacía surf, se chocó con una ola grande y la tabla se rompió. Ahora, el señor bajito iba a necesitar que el chico reparara y pintara la tabla. Cuando el chico regresó...

[1]**deserves**

Da tu opinión acerca de la historia

1. ¿Cómo describirías al chico de esta historia? Elige tres características y explica por qué.

2. Si hubieras estado en el lugar de la chica, ¿habrías insistido en que te hiciera un descuento? Explícalo.

3. ¿Qué pasó cuando el chico regresó y le dijo al señor bajito que la tabla estaba rota?

4. Imagina que eres el señor bajito. ¿Qué le dirías al chico? ¿Qué harías? Inventa un diálogo entre tú y el chico. Utiliza algunas de estas preguntas y respuestas si quieres.

¿Cuánto cuesta pintar y reparar mi tabla?
Te dejaré reparar mi tabla si...
Sólo junté suficiente dinero para pintarla.

Si no fuera de mala calidad, ...
No creo que pueda...
No me importa que haya...

el chico: *Lamento decirle que su tabla está rota. Es obvio que su tabla no era de buena calidad. Si no fuera de mala calidad, no se habría roto.*

el señor:

el chico:

el señor:

el chico:

el señor:

el chico:

La historia continúa...

√ Ilustra tus respuestas a las preguntas 3 y 4. Después, escribe una continuación de la historia desde la perspectiva del chico.

Cuéntanos acerca de ti

√ Completa las oraciones con tus ideas.

1. Si rompiera una tabla de surf de un amigo, trataría que ______________________.

2. *Si no me alcanzara el dinero** para comprar un(a) ______________________ insistiría en que ______________________.
   * Si no tuviera suficiente dinero

3. Si trabajara para Hershey's y alguien me pidiera un descuento, le recomendaría que ______________________.

4. Si un amigo me rompiera algo que le presté, yo ______________________ ______________________.

5. Si yo necesitara dinero, conseguiría un trabajo de ______________________.

Mini-lectura cultural: El surf en Perú

Siempre que se habla de surf, la gente piensa en Hawai, en medio del Océano Pacífico, pero hoy este deporte tiene mucha popularidad en Perú. Cuando es verano en el hemisferio sur, las playas del Perú se **llenan**[1] de niños, jóvenes y adultos que hacen surf. En los últimos años la costa peruana se ha convertido en una destinación obligada para surfistas de todo el mundo.

La popularidad de este deporte ha beneficiado a los **talleres artesanales**[2] donde reparan y hacen tablas de surf. En general, se hacen las tablas según el tipo de ola. Los talleres están cerca de las playas o en las grandes ciudades. Hasta no hace mucho tiempo atrás, las tablas eran muy caras pero hoy, por la gran demanda, sus precios han bajado; inclusive se hacen descuentos importantes a los jóvenes que promocionan el surf en Perú, y también a quienes han juntado dinero durante un tiempo para comprarse su primera tabla. Además, se exportan tablas de excelente calidad a países como Ecuador, Venezuela, Colombia, Chile, Panamá y El Salvador, donde se extiende cada vez más la práctica de este deporte.

Se cuenta que los primeros surfistas peruanos comenzaron con la práctica de "correr olas", en el año 1909, utilizando un **tablero de dibujo**[3]. Antes de que existieran los talleres de surf, los entusiastas fabricaban sus propias tablas en sus casas, que usaban como improvisados talleres.

Para practicar surf es necesario un entrenamiento riguroso, ya que se trata de dominar a las olas. Por eso en las playas, hay escuelas creadas por surfistas muy famosos, que enseñan diferentes técnicas de surfear. La instrucción se realiza en un clima relajado y de diversión pero también sigue normas de seguridad a los futuros surfistas.

Muchas competencias se realizan en Perú en distintas fechas; pero en octubre y noviembre, los surfistas se reúnen en las playas para las competencias nacionales e internacionales. Después de trabajar y entrenar durante meses, los amantes de las olas, tratan de obtener importantes premios. Los torneos de surf no se realizan en una única playa sino que se cambian de un lugar a otro de la costa peruana, pero el más importante es el Torneo de Máncora. La entrega de los premios se realiza al finalizar la competencia, en el mes de diciembre.

Por supuesto, hay diferentes categorías: jóvenes, mayores, campeonatos para olas grandes, para "olas tubo" y hasta torneos de noche o de **madrugada**[4]. El surf es practicado tanto por hombres como por mujeres. Un claro ejemplo es el de Sofía Mulanovich, la mejor surfista del Perú. Mulanovich fue campeona mundial en 2004 del WCT (World Championship Tournament), uno de los torneos más competitivos del deporte mundial. La deportista peruana se convirtió en la campeona más joven de la historia y la primera latinoamericana en lograrlo. Es un ejemplo para todos los hombres y mujeres que quieren dedicarse al surf.

Pero más allá de los campeonatos y de los premios, los surfistas desean disfrutar del cielo y del mar en todo su esplendor. Por eso su momento preferido para surfear es un momento que se llama 'Hora Azul', unos diez minutos antes del **amanecer**[5]. En ese instante, bañados por una luz mínima, los surfistas tratan de que sea un momento único para correr olas en soledad.

[1]are full of **[2]crafts workshops** **[3]drawing board** **[4]dawn/daybreak** **[5]sunrise**

Da tu opinión

1. Visita el sitio de la web: olasperu.com y contesta esta pregunta: Si tuvieras la oportunidad de viajar a una costa para surfear, ¿adónde irías- a Hawai o a Perú? Explícalo.

2. Si tuvieras que participar de una competencia de surf en Perú, ¿en qué meses irías? Explícalo.

3. Escribe un párrafo acerca de una historia de un(a) surfista que has escuchado por las noticias.

Mini-cuento C

después de que me haya ido	**debería haberle dicho**
hace / hacía mucho tiempo	**quería que volviera/hiciera**
cuando estuviera / tuviera	**a pesar de (que)**

Hacía mucho tiempo que mi primo David estaba buscando trabajo, pero no conseguía ningún puesto. Hacía mucho tiempo que mi primo David leía los avisos clasificados, pero no había ningún trabajo interesante. Por fin, no hace mucho tiempo, consiguió un puesto de policía en una estación cerca de la casa donde vive desde hace mucho tiempo. A pesar de que no tenía experiencia como policía ni sabía manejar armas, el jefe de policía lo contrató porque mi primo le contó que hacía mucho tiempo que buscaba trabajo y que hacía mucho tiempo que leía los avisos clasificados y no había ningún trabajo para él. Cuando el jefe le dijo que quería que se hiciera el uniforme para empezar rapidito, David se puso a saltar como loco de alegría. El jefe lo vio y pensó: "Tal vez, no debería haberle dicho que sí. Tal vez, debería haberle dicho que necesitaba una evaluación psicológica". A pesar de que el jefe pensó que mi primo estaba un poco loco, decidió darle la oportunidad.

David fue a la tienda de uniformes un domingo, pero estaba cerrada. El dueño vivía al lado de la tienda y fue a decirle que la tienda estaba cerrada. El dueño quería que David volviera al día siguiente -cuando la tienda estuviera abierta, pero David quería que el dueño le hiciera el uniforme ese día porque hacía mucho tiempo que no trabajaba y quería comenzar rapidito. A pesar de que no quería hacerlo, el dueño le **probó**[1] los pantalones y le dijo que lo llamaría cuando estuviera listo.

A pesar de que iba a ser difícil, David quería que le hiciera el uniforme ese día y le dijo: "Saldré un momento a la calle. Después de que me haya ido, hágame el uniforme rapidito", y se sentó a esperar. Enojado, el dueño pensó: "Debería haberle dicho que no". ¡Hacía mucho tiempo que quería pasar un domingo con su familia!". Cuando el dueño le dijo a David que lo llamaría cuando el uniforme estuviera listo, la mujer del dueño le gritó: "No deberías haberle dicho que le harías el uniforme. Deberías haberle dicho que no trabajas el domingo. No deberías haber le dicho a nuestros hijos que iríamos al cine. Los llevaré yo sola. Después de que nos hayamos ido, tendrás que prepararte la cena porque nosotros cenaremos en un restaurante". Después de dos horas, el dueño de la tienda le dijo a David que no tenía botones para la chaqueta y quería que David fuera a comprar botones. Cuando tuviera los botones, iba a poder terminar el uniforme. David se puso los pantalones y las botas de policía y -como no tenía chaqueta- se puso una camiseta con flores azules.

Así comenzó su primer día de trabajo ¡con medio uniforme! Fue a la estación de policía y, cuando lo vio con la camiseta con flores, el jefe tuvo vergüenza y le dijo: "Yo no debería haberte dicho que vinieras. Todavía no tenemos **patrullero**[2] para ti. Te quedarás en la oficina después de que me haya ido y leerás los informes policiales durante una hora. Después de que hayas leído todos los informes, te irás a casa y esperarás que te llame". En realidad, el jefe no quería que David **hiciera rondas**[3] con una camiseta con flores azules. Por eso, le dijo que quería que estuviera en la oficina, y que sólo podría empezar a trabajar cuando el patrullero nuevo estuviera listo.

A pesar de que David estaba ridículo, convenció a su jefe porque le dijo que hacía mucho tiempo que no trabajaba, y que quería que le permitiera hacer rondas de noche. Además, David le prometió al jefe que iba a andar rapidito y encontrar muchos ladrones: "Después de que usted se haya ido, iré a mi casa y conseguiré una forma de andar rapidito". David estaba decidido a comenzar ese día con o sin patrullero.

Mi primo fue a su casa, agarró los **patines**[4] rosas de su hermanita y se fue a hacer su ronda en patines. Su hermana y su mamá lo vieron ponerse los patines divertidos, pero no se animaron a reírse. A pesar de que David estaba ridículo con esos patines, su madre y su hermana no se rieron: "Nos reiremos después de que David se haya ido", dijeron en voz bajita. No querían que David las viera reírse, pero se iban a reír mucho cuando estuvieran solas.

Era casi medianoche cuando David salió de su casa con los patines. Iba por las calles rápidamente con sus patines rosas y su camiseta con flores azules. Todo estaba tranquilo y David pensó: "Cuando esté cerca de un 7-11, compraré los botones para la chaqueta". Era cerca de la una de la mañana cuando vio un 7-11 y entró. El dependiente lo vio entrar y le preguntó en forma sospechosa: "¿En qué puedo servirle, oficial?". David le dijo que quería que le diera botones para su chaqueta nueva y una bebida porque tenía sed. El dependiente le respondió: "Permítame, oficial, yo se los traigo".

Mientras traía los botones y la bebida, se dio cuenta de que el policía llevaba puesta una camiseta con flores azules. Quería reírse; sin embargo, no lo hizo. Para no reírse, quiso taparse la boca con la mano, pero golpeó el vaso con fuerza y derramó la bebida en el policía. El dependiente miró al policía para pedirle disculpas, pero vio los patines rosas y pensó: "Si me río, me perseguirá. Después de que me haya perseguido, me arrestará". Por eso, echó a correr para no reírse. Mi primo lo persiguió hasta la esquina. Iba a agarrarlo cuando se cayó encima de unos hombres que corrían por la otra calle. Los hombres resultaron ser ladrones que escapaban después de haber robado el banco. El jefe felicitó a David por el arresto y lo promovió a detective. David ahora anda en patines **plateados**[5].

[1]measured [2]patrol car [3]have a beat [4]roller skates [5]silver-plated

Acerca del cuento...

√ Completa las oraciones según el cuento.

1. A pesar de que David ______________________________, no conseguía trabajo durante mucho tiempo.
2. A pesar de que el dueño ______________________________, le hizo el uniforme a David.
3. A pesar de que se veía ridículo, su madre y su hermana ______________________________.
4. A pesar de que ______________________________, David comenzó a trabajar el mismo día.
5. A pesar de que el empleado del 7-11 no era ladrón, ______________________________.

Lee entre líneas

√ Muchos de los personajes del cuento (no) deberían haber dicho o hecho cosas que (no) dijeron o hicieron. Completa y analiza cada situación siguiendo el ejemplo.

Ejemplo: El jefe de policía debería haberle dicho a David que no podía contratarlo porque no tenía experiencia, pero no se lo dijo porque se compadeció de él.

1. El jefe no debería haberle dicho que podía comenzar a trabajar inmediatamente porque...
2. David no debería haberle pedido al dueño de la tienda de uniformes que...
3. El dueño de la tienda debería haberle dicho a David que...
4. David no debería haber ido a trabajar hasta que...
5. El empleado del 7-11 no debería haber salido corriendo porque...

√ Completa y analiza cada situación según tus propias opiniones.

1. Yo no debería haberle hablado irrespetuosamente a mis padres porque...
2. Yo debería haber estudiado para ________________ porque...
3. El chofer no debería haber cerrado los ojos mientras manejaba porque...
4. El chico no debería haberle molestado al perro porque...
5. Brad Pitt no debería haber salido con Angelina porque...

Da tu opinión

1. Si hubieras estado en el lugar del jefe de David,
    a. ¿le habrías dado el trabajo a pesar de que no tenía experiencia? Explícalo.

    b. ¿lo habrías mandado a hacerse una evaluación psicológica? Explícalo.

    c. ¿lo habrías dejado ir a trabajar a pesar de la camiseta con flores? Explícalo.

2. Si hubieras estado en el lugar de David,
    a. ¿habrías esperado a tener el uniforme listo para empezar a trabajar? Explícalo.

    b. ¿te habrías puesto los patines de tu hermana? Explícalo.

    c. ¿te habrías comprado patines plateados? Explícalo.

3. Si hubieras estado en el lugar de la madre o la hermana de David,
    a. ¿le habrías dicho que estaba ridículo? Explícalo.

    b. ¿te habrías reído de él en la cara? Explícalo.

    c. ¿habrías hecho algo para que David no fuera a trabajar? Explícalo.

4. Si hubieras estado en el lugar de Brad Pitt,
    a. ¿habrías dejado a Jennifer? Explícalo.

    b. ¿habrías elegido a Angelina? Explícalo.

    c. ¿habrías adoptado más niños? Explícalo.

5. Si hubieras estado en el lugar de O.J. Simpson,
    a. ¿habrías confesado que mataste a tu ex-esposa? Explícalo.

    b. ¿habrías salido de los EEUU para vivir una vida tranquila? Explícalo.

    c. ¿habrías hecho el robo en Las Vegas? Explícalo.

Otro punto de vista

√ El diario español, El País, publicó este artículo en la primera página. Completa el relato como si fueras el policía.

Madrid tiene hoy un nuevo héroe en patines plateados

Un nuevo oficial de la policía capturó sin arma y sin uniforme a dos ladrones que acababan de robar un banco. El policía los vio mientras compraba una bebida en un 7-11 y no dudó: los persiguió y los arrestó. Le pedimos que nos contara su historia y esto es lo que nos dijo: "Era casi medianoche cuando salí de mi casa para hacer una ronda…

Mini-lectura cultural: El uniforme escolar

El uniforme, un **conjunto**[1] de ropa, es usado por miembros de una organización mientras participan de distintas actividades. El uso de uniformes es habitual en los médicos, los policías, el ejército, los empleados de empresas, los guardias de seguridad y los prisioneros en todos los países. También los estudiantes de muchas escuelas llevan uniformes.

En todo el mundo se usan uniformes escolares, que pueden variar según las escuelas. La mayoría de las instituciones educativas privadas en Latinoamérica obligan a sus alumnos a llevar el uniforme. Y si no los llevan, pueden ser **sancionados**[2]. Los colores elegidos por las distintas escuelas son azules, grises o verdes oscuros. A pesar de que es tradicional el uso del uniforme en las escuelas privadas, las instituciones educativas se van modernizando y, desde hace pocos años, los severos uniformes se han transformado en **conjuntos deportivos**[3], que son más cómodos -sobre todo cuando hace mucho calor.

Venezuela y Chile tienen dos características en común en lo que respecta a uniformes escolares. Una es que en ambos países es obligatorio el uso del uniforme. Otra es que los alumnos, tanto de las escuelas públicas como de las privadas, llevan el mismo uniforme escolar. La única diferencia es el **distintivo o escudo**[4] del colegio. Esta ley se cumple en la mayoría de las escuelas de Venezuela desde el año 1980. En Chile sólo cumplen la ley algunas instituciones educativas, a pesar de que los legisladores han insistido en su cumplimiento.

El uniforme escolar venezolano tiene variantes, según los niveles que se estén cursando. Para los pre-escolares o jardín de infantes, se usa el buzo o una camiseta roja con pantalones azules o jeans. Para el nivel primario, el buzo o camiseta es de color blanco y los pantalones o faldas son azules. Los estudiantes secundarios usan buzo o camiseta celeste (azul del cielo) y también los pantalones o faldas son azules, mientras que los estudiantes de los últimos años llevan buzo o camiseta color marrón claro con pantalones o faldas azules.

A lo largo del tiempo el uso del uniforme genera críticas, sobre todo por parte de los adolescentes que son obligados a llevarlo. Sienten que el uniforme les impide llevar la moda a su vida escolar. Aún así, cuando terminan sus estudios, la mayoría siente nostalgia por los días en que iban a la escuela. Quieren que vuelva ese precioso tiempo compartido con amigos donde la preocupación más grande era aprobar (pasar) algún examen y... llevar un uniforme.

[1]**outfit** [2]**disciplined, given a detention** [3]**athletic outfits** [4]**shield/logo**

Da tu opinión

1. ¿Cuáles son algunas de las ventajas y desventajas del uso de los uniformes escolares?

2. Si tuvieras que cambiarte de escuela, ¿elegirías una donde tuvieras que llevar uniforme? Explícalo.

Mini-cuento D

suspiró	**haz lo que quieras**
parece / parecía	**prometió / había prometido que iría**
es posible que vaya / venga	**si hubiera alguien / si no hubiera nadie**

Era una noche muy oscura, pero muy serena. Cecilia estaba sola en su casa y tenía miedo. Enrique, su novio, le había prometido que iría, pero todavía no había llegado. Cecilia escuchó un ruido afuera y suspiró. Temblando de miedo, pensó: Si no hubiera nadie afuera, no habría ruidos. Llamó a su novio al celular: "Ven pronto, Enrique. Me parece que hay alguien en mi jardín". Enrique le contestó: "Si hubiera alguien en tu jardín, podrías verlo", pero Cecilia no se animó a mirar afuera. "No es posible que vaya ahora", le dijo Enrique. "Es más, no podré ir hasta que termine este trabajo". Cecilia le respondió: "Haz lo que quieras. Si no es posible que vengas ahora, llamaré a Julián". Enrique estaba celoso de Julián, el vecino de Cecilia, y por eso le dijo: "Haz lo que quieras. Pero si veo a Julián en tu casa, no seré más tu novio". Después, le prometió que iría cuando terminara.

Pasaron treinta minutos y Cecilia tenía miedo. "Debería haber llorado mientras hablaba con Enrique", ella pensó. "Si hubiera llorado, él habría venido". Le parecía que había alguien en el garaje. Cecilia suspiró dos veces y pensó: "Si no hubiera nadie en el garaje, no habría ruidos". Muy pronto, llamó a la casa de Julián: "Ven pronto, Julián. Me parece que hay alguien en mi garaje. Tengo miedo y Enrique no puede venir hasta que termine el trabajo". Julián quería ir a lo de Cecilia, pero le había prometido a su abuela que no iría a ningún lado a menos que alguien llegara para no dejar a su perro solo. "No es posible que vaya ahora. Es más, no podré ir hasta que alguien venga". Cecilia suspiró nuevamente: "Haz lo que quieras. Si no es posible que vengas ahora, llamaré a Agustín". Julián estaba celoso de Enrique, pero aún estaba más celoso de Agustín, el chico más guapo de la escuela, y por eso le dijo: "Haz lo que quieras. Pero si veo a Agustín en tu casa, no seré más tu amigo". Después, le prometió que iría cuando alguien llegara.

Pasaron treinta minutos y ni Enrique ni Julián habían llegado. La noche era muy oscura y Cecilia seguía teniendo miedo. Enrique y Agustín le habían prometido que irían, pero no lo habían hecho. "Debería haberle dicho a Julián que no sería más su amiga a menos que viniera inmediatamente", pensó. A Cecilia le parecía que había ruidos en la cocina. Suspiró tres veces y pensó: "Si no hubiera nadie en la cocina, no habría ruidos. Cecilia no se animó a entrar a la cocina y se fue corriendo a su dormitorio. Desde allí, llamó a Agustín: "Ven pronto, Agustín. Me parece que hay alguien en la cocina. Tengo miedo y ni Enrique ni Julián pueden venir ahora". A Agustín le gustaba Cecilia y por eso suspiró y aceptó ir de inmediato. Le prometió que iría cuando terminara de lavarse.

Una hora más tarde, llegó Agustín a la casa de Cecilia y no vio ninguna luz encendida. La casa parecía vacía. Agustín no era muy valiente, pero le había prometido a Cecilia que iría a acompañarla y por eso, suspiró, se acercó a la puerta y llamó a Cecilia. Nadie contestó. ¿Dónde estaba Cecilia? Agustín suspiró una vez más y llamó a Cecilia, y la puerta se abrió...

Agustín entró y trató de prender la luz pero no pudo. Le pareció escuchar ruidos en el dormitorio de Cecilia y pensó: "Si no hubiera nadie en el dormitorio, no habría ruidos". Fue hacia el dormitorio y mientras caminaba, prometió que nunca más iría a la casa de ninguna chica en una noche tan oscura, aunque la chica fuera tan hermosa como Cecilia. En el dormitorio, le pareció que algo le tocaba la cara...

Diez minutos más tarde, llegó Julián a la casa de Cecilia. La casa estaba tan oscura como la noche y parecía estar vacía. Julián vio la puerta abierta y entró, pensando: "Si no hubiera nadie en la casa, la puerta no estaría abierta". A Julián le pareció escuchar ruidos en el garaje y caminó hacia él, pensando: "Si no hubiera nadie en el garaje, no habría ruidos". Mientras entraba al garaje pensaba en la conversación que había tenido con su abuela: La abuela le había dicho: "Haz lo que quieras. Pero si hubiera alguien en la casa, Cecilia debería haber llamado a la policía, no a ti. En el garaje de Cecilia, Julián pisó algo que hizo "crac" y le pareció que unos ojos lo miraban...

Diez minutos más tarde, llegó Enrique. La casa estaba oscura y parecía vacía. Enrique empezó a caminar por el jardín y vio una sombra en el dormitorio de Cecilia. Después, miró hacia el garaje y escuchó ruidos en el garaje. Pensaba: "Si no hubiera nadie en el garaje, no habría ruidos y si no hubiera nadie en el dormitorio, no habría visto una sombra. Se escondió detrás de un árbol cerca de la casa y sintió que una fruta le caía en la cabeza. Con una mano, se la sacó de la cabeza y al mirarla, vio que no era una fruta sino que era una araña. Enrique dio un grito salvaje y salió corriendo...

En el garaje, Julián sintió una araña en su cara y gritó. Después, escuchó un grito en el jardín y salió corriendo también. En el dormitorio, Agustín vio una araña en la cama de Cecilia y gritó. Al momento, sintió un grito en el garaje y otro en el jardín. Desesperado, salió corriendo a toda velocidad. En el balcón, Cecilia se reía: "No es posible que se vayan porque les tienen miedo a mis mascotas. Al final, a ninguno de mis novios les gustan mis tarántulas, Susana, Florentina y Marianela".

Da tu opinión

1. ¿Había ruidos en la casa de Cecilia?

2. Si tuvieras miedo y le pidieras a tu amigo que viniera a acompañarte y tu amigo no viniera, ¿qué harías?

3. Si hubiera alguien en tu casa, ¿llamarías a tu amigo, a tu padre o a la policía? Explícalo.

Los muchachos

Enrique

√ En cuanto llegó a su casa, Enrique llamó a Cecilia para ver qué había pasado. Completa la conversación como si fueras Enrique.

Cecilia: Hola.

Enrique: Me alegra escucharte. ¿________________________________?

Cecilia: Sí, estoy perfecta. ¿Por qué me lo preguntas?

Enrique: Porque fui a tu casa y ________________________________.

Cecilia: Yo estuve en casa todo el tiempo.

Enrique: No me pareció que ________________________________.

Cecilia: ¿Y qué hiciste tú?

Enrique: Fui al jardín y vi una sombra en tu dormitorio. Pero mientras caminaba, ________________________________.

Cecilia: Si hubiera alguien en mi dormitorio, ¿no entrarías a la casa para salvarme?

Enrique: ________________________________

Cecilia: ¿Mi mascota te asustó?

Enrique: ¿Una araña de mascota? ¡Qué asco!

Cecilia: Peor eres tú. No deberías haberme ________________________________.

Enrique: Si había alguien en tu casa, ¿por qué no llamaste a la policía?...

Julián

√ Julián no quería que Cecilia supiera que había salido corriendo de la casa. Por eso, le pidió a un amigo que le dijera que había ido con él. Completa el email que le escribió con las expresiones de la lista. Elige un verbo de cada par.

llegué / llegamos
llevara / lleve
escapó / escapamos
había / hay

gritaron / gritamos
escuchó / escuchamos
entró / entramos

fuiste / fuimos
quiso / quisimos
contestó / contestaste

Hola Ceci,

Ayer la abuela y yo tuvimos una discusión porque ella no me (1) ______________ prestar su auto. Entonces, le pedí a Pablo que me (2) ________________ a tu casa porque mi auto no anda. Cuando (3) ______________, la casa estaba oscura y nos pareció que estaba vacía. Vimos la puerta abierta y (4) ________________. (5) ________________

ruidos en el garaje y caminamos hacia él. Entramos en el garaje, pero no vimos nada raro. Pablo y yo (6) ______________ tu nombre, pero no nos (7) ______________ . De repente, escuchamos un grito y vimos salir a un hombre corriendo, y decidimos seguirlo. Desafortunadamente, se (8) ____________ pero nosotros (9) ____________ a la policía para contarles que seguramente (10) ______________ un ladrón en tu casa.

Agustín

√ Agustín fue el más honesto de los tres. Le dijo exactamente lo que había pasado. Escribe lo que le contó como si fueras él.

____

____

____

____

____

____

____

____

____

____

____

____

____

____

____

____

____

____

____

Mini-lectura cultural: Colecciones de insectos

En muchos países coleccionar insectos es una actividad más popular que coleccionar sellos postales o monedas. Las personas que completan una colección de una especie de insectos **adquieren**[1] un gran conocimiento sobre este grupo de animales.

Sin duda una colección bien cuidada y completa brinda mucha información sobre el ciclo de vida y los hábitos de los insectos, así como también de las regiones dónde estos se pueden encontrar. A diferencia de otros animales, los insectos a menudo se encuentran ocultos (escondidos) por eso es un poco difícil su estudio. Cada tanto aparecen nuevas especies de insectos que los coleccionistas **agregan**[2] a sus colecciones tratando de que sean lo más completas posible para favorecer un conocimiento completo.

Muchos insectos, como también otros animales, están en vías de extinción a causa de la destrucción de su hábitat. Pero, en general, los coleccionistas no contribuyen a la extinción de los insectos sino que ayudan a preservar la belleza de algunas mariposas u otros interesantes insectos. Son defensores de la ecología y promocionan un conocimiento científico de esas especies.

Para comenzar una colección de insectos no se requieren muchos materiales pero sí mucha paciencia. Muchos entusiastas de la naturaleza piden ayuda a organizaciones para encontrar alguna especie rara o para descubrir otras formas de coleccionar más allá de la tradicional.

Jean Michael Maes es un conocido coleccionista de nacionalidad belga, que vive en Nicaragua desde hace muchos años y que es fundador de un museo entomológico donde los estudiantes van a investigar sobre los insectos. Maes colecciona insectos de todo el mundo. En su colección tiene **hormigas**[3], arañas, moscas y **saltamontes**[4]; pero su especialidad, son los coloridos **escarabajos**[5] tropicales.

En México fue creada la Colección Nacional de Insectos en el año 1929 y tiene alrededor de cuatro millones de insectos, con infinidad de mariposas de distintas formas, colores y tamaños. En la Colección hay algunos escarabajos que parecen joyas, cuyos colores llaman la atención de los artistas.

Pero sin duda la colección de insectos de la Fundación Charles Darwin, en Ecuador, es la más reconocida, ya que fue incluida en el año 2000 en la lista de colecciones entomológicas de América Central y Sudamérica. Esta colección es muy importante para identificar en forma rápida nuevas especies y plagas.

Tal vez, los seres humanos deberíamos tomar de los insectos la capacidad de adaptarse a los cambios y a los medios, sin destruirlos. Los coleccionistas son los defensores de ese sueño ecológico.

[1]**acquire** [2]**add** [3]**ants** [4]**grasshoppers** [5]**beetles**

Da tu opinión

1. Haz una lista de cosas típicas que la genta colecciona.

2. Haz una lista de cosas que coleccionarías si tuvieras la oportunidad.

3. ¿Piensas que los entomologistas son importantes para la conservación de la ecología? Explícalo.

¿Quién lo diría?

√ Lee los siguientes comentarios y decide quiénes los harían. Escribe tu respuesta en el espacio en blanco.

un profesor
una mujer soltera
un amigo
una persona pobre
un estudiante
un hijo deshonesto
un policía
un gato
un deportista
un pianista

______________________ 1. Si fueras más inteligente, no habrías dejado tu identificación en la tienda después de robarla.

______________________ 2. Si pudiera leer cualquier libro, leería un libro de música.

______________________ 3. Tendré éxito en el partido próximo.

______________________ 4. Si no me hubiera dormido durante la clase, no me habrían despedido.

______________________ 5. Busco a un hombre que sea alto, guapo y rico.

______________________ 6. Anoche, no tuve donde pasar la noche.

______________________ 7. No debería haberles mentido a mis padres.

______________________ 8. Dondequiera que vaya, voy a seguirle hasta que me dé de comer.

______________________ 9. Si no fueras un chofer malo, te prestaría mi carro.

______________________ 10. Si hubiera estudiado, me habría sacada una 'A'.

El príncipe de la quinceañera

El príncipe de la quinceañera.

El día del baile por fin llegó. El coche de los Preciado-Montoya se acercó a la casa de Leticia y un muchacho se bajó de él y tocó el timbre.

- Ya es hora -le dijo su madre desde el living- No hagas esperar a Leo.

En su dormitorio, Leticia suspiró y se prometió que iría al baile con una sonrisa. Ningún muchacho iba a arruinar su día especial. Con una sonrisa, bajó las escaleras y vio a un muchacho feo como un cuco. Tenía las mismas orejas grandes y los mismos dientes verdes que Leticia recordaba. "No debería haberle dicho a mis padres que iría con él".

Leticia se le acercó y trató de que no se notara lo incómoda que estaba:

- Hola, Leo. ¡Hueles mal... a... a... maravillosamente!

Leo olía tan mal que a Leticia le daba vergüenza entrar con él a la fiesta. Leticia no supo si era porque él no se bañaba o porque no se cepillaba los dientes desde hacía mucho tiempo. A pesar de que estaba muy incómoda, trataría de pasar un buen momento.

- No es necesario que entremos juntos. Yo sé que mis padres se lo prometieron a los tuyos, pero en realidad no es necesario que vaya acompañada. Puedo ir sola y después de que haya entrado, puedes entrar tú y bailar con quien gustes.
- Haz lo que quieras, pero a los Preciado-Montoya nos importa mucho que nos hayan elegido para acompañarte.

Parecía que Leticia tendría que entrar con Leo a menos que hubiera un milagro. ¡Y bueno! Cuando estuviera en la fiesta, le pediría que fuera a bailar con sus amigas y que la dejara en paz...

- Es posible que tengas que bailar con muchas de mis amigas. Para mí, es muy importante que todas las chicas bailen. Esa será tu responsabilidad.
- ¿Podremos bailar tú y yo después de que hayan bailado todas las chicas? La verdad es que me compré un traje muy caro para bailar contigo...
- Aunque hayas gastado una fortuna, tu trabajo no es estar conmigo sino bailar con todas las chicas.

Leticia no sabía cómo se había animado a decirle todo esto. "Sólo faltan unos minutos y después me olvidaré de él", se dijo Leticia.

Pero esos minutos se hicieron muy largos... Leo era muy torpe: Primero tropezó y derramó jugo de frutas en el vestido blanco de Leticia y tuvieron que **quitarle la mancha**[1]. Después, la pisó y le rompió el zapato. Finalmente, una mosca aterrizó en la cara de Leticia, Leo la golpeó y le dejó la cara roja a Leticia. ¡Qué desastre! Leticia había trabajado mucho para este día y quería que Leo **desapareciera.**[2] Enojada gritó:

- ¡Basta! ¡Ya basta! ¡No lo aguanto más!

Y salió corriendo de la casa. Afuera Leticia empezó a llorar. Del coche de los Preciado-Montoya se bajó un muchacho muy guapo, de pelo castaño y rizado, ojos oscuros y dientes muy blancos. El muchacho no le sacaba los ojos de encima y le sonreía mientras se acercaba.

- Feliz cumpleaños, Leticia. ¿No me reconoces? Soy Leopoldo.
- ¿Leopoldo? ¿Pero quién estaba en casa?
- Mi primo, Leonardo. Como él no tenía dinero para comprarse un traje para tu fiesta, consiguió un puesto de chofer en mi casa y por eso, manejaba el coche. Además, como me daba vergüenza entrar a tu casa, le pedí que entrara él.

Leticia y Leopoldo se rieron y juntos entraron a la fiesta. Ni el papá ni la mamá de Leticia la habían visto sonreír tanto como ese día.

[1]get the stain out [2]would disappear

Consejo profesional

√ Contesta la siguiente carta como si fueras un columnista de consejos en el periódico local.

Estimada Ana:

Me llamo Leticia y tengo un problema: Mi quinceañera se acerca y mis padres me exigieron que fuera con un muchacho que detesto. Es un ex-vecino que me maltrataba mucho cuando éramos jovenes. Además de ser maleducado, no se baña ni se cepilla los dientes. Realmente es un bruto y no quiero que él me acompañe al baile. Tampoco quiero ofenderlo ni a él ni a mis padres. ¿Qué debo hacer?...
¡Ayúdame!
Leticia

√ Después de la fiesta, Leticia y su mamá tuvieron una conversación. Lee las respuestas de Leticia e imagina cuáles fueron las preguntas.

1. Madre:

   Leticia: Iba a decir: "Hueles mal", pero no podía decir algo tan cruel y lo cambié por: "Hueles maravillosamente".

2. Madre:

   Leticia: Tropezó y derramó el jugo en mi vestido.

3. Madre:

   Leticia: Me dio vergüenza porque estaba llorando, pero a la vez, estaba contenta de ver que un chico tan guapo me sonreía.

4. Madre:

   Leticia: La verdad es que a mí me da mucha pena. Yo no lo traté bien y Leopoldo me dijo que había conseguido un trabajo para comprarse un traje para mi fiesta.

5. Madre:

   Leticia: Al final, la quinceañera fue magnífica. Todos se divirtieron muchísimo y Leonardo bailó con todas las chicas.

Da tu opinión

1. ¿Es Leticia una persona buena? Explícalo.

2. Si estuvieras en el lugar de Leticia, ¿qué harías?

3. Si fueras a un baile y tu acompañante te molestara, ¿lo (la) dejarías solo(a) en el baile o te quedarías con él (ella)? Explícalo

Lectura cultural:

Popo e Ixta

Muchos años antes de que Cortés llegara a México, los aztecas vivían en Tenochtitlán, que es hoy Ciudad de México. El jefe de los aztecas era un famoso emperador. Todos los indios lo querían a él y a su esposa, la Emperatriz. Pero el emperador y su mujer vivían preocupados porque no tenían hijos. El emperador quería un hijo para que ocupara su trono. Un día, la Emperatriz le dijo al Emperador que iba a tener un hijo. El bebé nació pero no fue un niño, sino una niña tan hermosa como su mamá. La llamaron Ixtaccíhuatl, que en la lengua de los aztecas quiere decir Montaña Blanca.

Todos los indios amaban a Ixta y sus padres la preparaban para ser la Emperatriz de los aztecas. Ixta crecía hermosa, **amada**[1] tanto por todos los indios como por sus padres. Mientras todos los niños de su edad jugaban, Ixta se preparaba para gobernar. Cuando cumplió quince años, su padre le hizo una gran fiesta que duró dos días. Todos los aztecas le trajeron muchos regalos a Ixta. Ixta era una joven muy bonita y todos los muchachos estaban enamorados de ella. Todos soñaban con ser su esposo. Pero el emperador no quería que Ixta conociera a ningún joven. El pensaba que ellos sólo querían su trono y su dinero. Ixta estaba muy triste porque todas sus compañeras tenían novio, pero ella no.

Un día, hubo una **guerra**[2] entre los aztecas y una tribu vecina. El emperador no tenía a un hombre de confianza para dirigir sus **ejércitos**[3], y no quería mandar a su hija, Ixta, a pelear. Entonces anunció que el guerrero que derrotara a la tribu enemiga y ganara la guerra, se casaría con Ixta.

Uno de los guerreros más valientes, se llamaba, Popocatéptl, o **Montaña que Humea**[4]. Popocatéptl amaba a Ixta y se puso contento por la oportunidad de ganarse su mano. Pronto, llamó a sus guerreros y salieron a pelear. Ixta, que también amaba a Popo, se quedó preocupada por él.

Pasaron los días y un guerrero que odiaba a Popo envió un mensaje falso al emperador. El mensaje decía que su ejército había ganado la guerra, pero que Popo se había muerto en el combate. Al oír la noticia, el emperador se entristeció porque él también amaba a Popo. Cuanto Ixta oyó la noticia, lloró mucho, se fue a su cuarto y no quiso salir ni a comer. Después de haber pasado varios días sin comer, Ixta se enfermó y se murió de tristeza.

En el momento en que el emperador preparaba el funeral para Ixta, llegaron Popo y sus guerreros después de haber triunfado. El Emperador no pudo creer lo que veían sus ojos. Sorprendido recibió a Popo y le informó que otros guerreros le habían dicho que él se había muerto en combate. Después, le contó de la muerte de Ixta.

Popo se puso muy triste y fue a ver el cuerpo de Ixta. Tomó el cadáver en sus brazos y salió del pueblo. Después de haber caminado mucho, llegó a una montaña. Allí ordenó a sus guerreros que construyeran una pirámide bien alta para poner el cuerpo de Ixta y otra más alta desde donde él pudiera cuidar el cuerpo de su amada.

A los pocos días, Popo murió de tristeza también. Los dioses conmovidos por el sacrificio de Popo, convirtieron los cuerpos y las pirámides de Ixta y Popo en dos volcanes. El volcán más alto es Popo, que mantiene guardia sobre Ixta, que duerme.

Hoy los dos volcanes miran hacia la antigua Tenochtitlán. El volcán más alto es Popo, que vela mientras Ixta duerme. Hoy día, todo el mundo recuerda su amor cuando miran los dos volcanes.

[1]loved **[2]war** **[3]army** **[4]Smoking Mountain**

Da tu opinión

1. ¿Conoces alguna leyenda u obra de dos amantes con un final feliz? ¿Y con uno triste?

2. Escribe un final nuevo para esta leyenda.

El emperador informó a Popo que Ixta se había muerto de tristeza y...

Notas:

Glosario

a menos que vea	unless s/he sees *(present subjunctive)*
a pesar de (que)	in spite of
la aguja	the needle
aliviado	relieved / alleviated
antes de que vayas	before you go
aprendieron	they learned
(la ballena) atravesó el océano	(the whale) crossed the ocean *(preterite)*
aunque	although
aunque me haya puesto	although I have put on *(present subjunctive)*
la ballena	the whale
beberé	I will drink
beberá	s/he will drink
un boleto de ida y vuelta	a round-trip ticket
buscar	to look for *(infinitive)*
buscará una nueva receta	s/he will look for a new recipe *(future)*
busco a un hombre que sea..	I look for a man who is... *(present, present subjunctive.)*
caldo (de pollo)	broth (chicken broth)
calentado	heated or warmed *(past participle)*
calentar	to heat or to warm *(infinitive)*
calentó la gorra	s/he heated the cap *(preterite)*
la calle principal	the main street
carne de res	beef
cobrar con tarjeta de crédito	to charge with a credit card *(infinitive)*
el cocinero	the cook / chef
la cola	the tail / the line (of people)
con voz suave	with a smooth / soothing voice
consiguió un puesto de	he got or acquired a position of *(preterite)*
consiguió un trabajo	he got or acquired a job *(preterite)*
(no) creo que pueda	I (don't) believe that s/he can *(present, present subjunctive)*
cuando estuviera (allí)	when s/he was (there) *(past subjunctive)*
cuando lleguemos a...	when we arrive *(present subjunctive)*
cuando lleguen a...	when they arrive *(present subjunctive)*
cuando tomes	when you take or drink *(present subjunctive)*
cuando tuviera (suficiente...)	when s/he had (enough...) *(past subjunctive)*
un cuerno	a horn or antler
daba (él) un paseo (a pie)	he went or was going for a walk *(past imperfect)*
daba (él) un paseo (en carro)	he went or was going for a drive *(past imperfect)*
debería haber dicho	s/he, you, I should have said *(conditional + perfect)*
debería haber hecho	s/he, you, I should have done *(conditional + perfect)*
debería haber ido	s/he, you, I should have gone *(conditional + perfect)*
debería haberle dicho	s/he, you, I should have said to him or her *(conditional + perfect)*
derramará	s/he, you will spill *(future)*
derramó	s/he, you spilled *(preterite)*
despide	s/he, you say(s) goodbye or fires *(present)*
despidió	s/he, you said goodbye or fired *(preterite)*

lo despidió	s/he, you said goodbye to him or fired him *(preterite)*
lo despedirá	s/he. you will say goodbye to him or will fire him *(future)*
después de que me haya ido	after I have left *(perfect subjunctive)*
después de que yo haya salido	after I have left *(perfect subjunctive)*
distraído(a)	distracted
dondequiera	wherever
dondequiera que fuera	wherever you went / he she went *(past subjunctive)*
dondequiera que vaya	wherever you go / he she goes *(present subjunctive)*
el cajero había aprendido	the cashier had learned *(pluperfect)*
el cocinero irá	the cook will go *(future)*
el dueño	the owner
empezó a oler	it started to smell *(preterite)*
era grande	it, s/he was big / you were big *(imperfect)*
era importante para él	it was important to him *(imperfect)*
(él) era muy exigente	he was very demanding *(imperfect)*
(ella) era vergonzosa	she was ashamed or bashful *(imperfect)*
es necesario que tengas	it is necessary that you have *(present, present subjunctive)*
es posible que vaya	it is possible to go / that s/he go *(present subjunctive)*
es possible que venga	it is possible to come / that s/he come *(present subjunctive)*
estaba distraído	s/he, I was distracted / you were distracted *(imperfect)*
(él) estaba orgulloso	he was proud *(imperfect)*
exigente	demanding *(adjective)*
éxito	success
fuera	outside
(él) fuera	he went or he was *(past subjunctive)*
la gorra	the cap / hat
la gripe	flu or cold
(a él) le gustaba el sabor	he didn't like the flavor, the flavor didn't please him *(imperfect)*
(a ella) no le gustó	she didn't like (it), it didn't please her *(preterite)*
no me gustó	I didn't like (it), it didn't please me *(preterite))*
¿Ha estado usted en...?	Have you been in...? *(present perfect)*
había aprendido	I, you, s/he had learned *(pluperfect)*
había asado carne de res	I, you, s/he had grilled beef *(pluperfect)*
había comido	I, you, s/he had eaten *(pluperfect)*
había comprado	I, you, s/he had bought *(pluperfect)*
había enseñado	I, you, s/he had taught *(pluperfect)*
había juntado dinero	I, you, s/he had gathered or put together some money *(pluperfect)*
había llevado	I, you, s/he had carried, taken or brought *(pluperfect)*
(él) lo había llevado a...	he had taken it to... *(pluperfect)*
(ella) me había llevado a...	she had taken me to... *(pluperfect)*
había nacido	I, you, s/he had (been) born *(pluperfect)*
había prendido el fuego	I, you, s/he had started or lit the fire *(pluperfect)*
había prometido que él iría	I, you, s/he had promised that he would go *(pluperfect, conditional)*
había tenido	I, you, s/he had had *(pluperfect)*
había visto	I, you, s/he had seen *(pluperfect)*
no lo había visto	I, you, s/he had not seen it or him *(pluperfect)*

habían estado al aire libre	they, you pl. had been in the open air or outside *(pluperfect)*
Habría dicho	I, you, s/he would have said *(compound conditional)*
Habría hecho	I, you, s/he would have done or made *(compound conditional)*
habría puesto	I, you, s/he would have put *(compound conditional)*
habrías hecho	you would have done *(compound conditional)*
hace mucho tiempo	a long time ago (*Present perfect);* for a long time
hace diez años	ten years ago (*Present perfect);* for 10 years
hacía mucho tiempo	a long time ago / it had been a long time
hace un descuento	s/he gives a discount *(present)*
hacía calor	it was very warm or hot *(imperfect)*
hacía frío	it was very cold *(imperfect)*
¿Has visto...?	Have you seen...? *(present perfect)*
hasta que (nos) des de beber	until you give us something to drink *(subjunctive)*
hasta que (nos) des de comer	until you give us something to eat *(subjunctive)*
hasta que estuviera	until you were *(subjunctive)*
hasta que se sintiera mejor	until I, s/he, you felt better *(subjunctive)*
haz lo que quieras	do whatever you want *(subjunctive)*
he esperado	I have waited *(present perfect)*
he estado	I have been *(present perfect)*
he estado esperando	I have been waiting *(present perfect)*
(lo) he visto	I have seen him / it *(present perfect)*
una herida grave	a serious injury
hizo un descuento	s/he gave (made) a discount *(preterite)*
iban a (dormir)	they, you (pl.) went (habitually) to sleep or were going to sleep *(imperfect)*
iban a comprar	they, you (pl.) went (habitually) to buy or were going to buy *(imperfect)*
Ida y vuelta	round-trip
insiste en que...	s/he, you insists that... *(present)*
inyección en el trasero	an injection in one's bottom
irá	s/he, you will go *(future)*
juntó	s/he, you gathered or put together *(preterite)*
la sangre	the blood
la tierra	the land; the earth
ladró	s/he, it barked *(preterite)*
le daba (a él) vergüenza	it gave him embarrassment or he was embarrassed *(imperfect)*
le dolía la cabeza	his or her head hurt or s/he had a headache *(imperfect)*
le recomendó que...	s/he, you recommended that... *(preterite)*
le sale un cuerno	a horn grows or pops out of him or her *(present)*
(él) leía la guía turística	he read or was reading the tourist guide *(imperfect)*
llevar	to bring, take someone somewhere, to carry *(infinitive)*
lo habían hecho	they, you (pl.) had done it *(pluperfect)*
que lo llevara	that s/he, you or I take it *(past subjunctive)*
mandó que...	s/he ordered that... *(preterite)*

mandó que él fuera	.s/he, you ordered that he go / s/he ordered him to go.. *(preterite, past subjunctive)*
(él) mandó que yo tomara	he ordered that I take or drink / he ordered me to drink *(preterite, past subjunctive)*
me importa que hayas conseguido trabajo	It is important to me that you have gotten a job *(present, perfect subjunctive)*
¡Me muero de hambre!	I am dying of hunger! I'm starving! *(present)*
mejor	better
(él) la metió en el microondas	he put it into the microwave oven *(preterite)*
el microondas	the microwave oven
nadie le había enseñado (a él)	nobody had taught him *(pluperfect)*
necesitaba relajarse	s/he, you, I needed to relax *(imperfect)*
¡No me digas!	*Idiomatic phrase:* Don't tell me! Don't say it! *(subjunctive: negative command form)*
¡No me hagas...!	*Idiomatic phrase:* Don't make me...! *(subjunctive: negative command form)*
no me importa que hayas trabajado	I don't care if you have worked *(present, present subjunctive)*
no tenían dónde pasar la noche ...	They didn't have a place to spend the night *(imperfect)*
nunca	never
nunca había comprado	s/he had never bought *(pluperfect)*
nunca habían trabajado	they had never worked *(pluperfect)*
nunca lo habían hecho	they had never done or made *(pluperfect)*
Ojalá que él (no) tuviera...	God willing that he didn't have *(past subjunctive)*
Ojalá que él (no) hubiera ido	God willing that he had not gone *(pluperfect subjunctive)*
Ojalá que él (no) haya ido	God willing that he has not gone *(perfect subjunctive)*
Ojalá que él no vaya	God willing that he does not go *(subjunctive)*
Ojalá que yo tenga...	God willing that I have... *(subjunctive)*
oler	to smell or give an odor *(infinitive)*
se olvida	s/he forgets / you forget *(present)*
olvidar	to forget *(infinitive)*
no te olvides	don't forget *(subjunctive: negative command)*
pagar (con dinero) en efectivo	to pay with cash *(infinitive)*
pagó en efectivo	s/he paid with cash *(preterite)*
para	for, to, in order
para no tener que...	in order not to have to (do something) *(infinitive)*
para que fuera (grande)	in order that it was *(past subjunctive)*
para que puedas	in order that you are able *(subjunctive)*
parece	it seems *(present)*
parecía	it seemed *(imperfect)*
le pedía	s/he, I, you, requested *(imperfect)*
pedir	to ask for, request or order (in a restaurant) *(infinitive)*
pidió que ella diera	s/he, you requested that she give *(preterite, past subjunctive)*
un plátano	a banana or plantain
pondrá	s/he, you will put *(present)*
prometió que iría	s/he, you promised that you would go *(preterite, conditional)*
puso	s/he, you put *(preterite)*
¿Qué haría él?	What would he do? *(conditional)*

¿Qué harías? .... What would you do? *(conditional)*
¡Qué sabroso! .... *Idiomatic phrase:* How tasty! How delicious!
¡Qué susto! .... *Idiomatic phrase:* What a scare! or What a start!
te quemarás .... you will burn yourself *(future)*
quema .... s/he or it burns *(present)*
quemó .... s/he or it burned *(preterite)*
quería que él lo hiciera .... s/he, you, I wanted him to do/make it *(imperfect, past subjunctive)*
quería que yo volviera .... s/he, you, I wanted me to return *(imperfect, past subjunctive)*
quiere que él vaya .... s/he wants / you want him to go *(present, present subjunctive)*
quiero que laves... .... I want you to wash... *(present, present subjunctive)*
quiero que me espere .... I want you to wait for me *(present, present subjunctive)*
quiero que me hable .... I want him, her, you to talk to me *(present, present subjunctive)*
quiero que me mire .... I want him, her, you to look at me *(present, present subjunctive)*
quiso cambiar .... s/he, you wanted to change *(preterite)*
quiso pagar .... s/he, you wanted to pay *(preterite)*
quiso que él me mirara .... s/he, you wanted him to look at me *(preterite, past subjunctive)*
una receta .... a recipe
recomendó .... s/he, you recommended *(preterite)*
le recomendó que lo calentara .... s/he, you recommended to him/her that he/she heat it *(preterite, past subjunctive)*
le recomendó que lo comiera ..... s/he, you recommended to him/her that he/she eat it *(preterite, past subjunctive)*
le recomendó que lo llevara ...... s/he, you recommended to him/her that he/she carry or take it *(preterite, past subjunctive)*
resbalarse .... to slip *(infinitive)*
se animaba .... s/he, you, I dared or was daring *(imperfect)*
se animó .... s/he, you dared *(preterite)*
se equivocó de camino .... s/he, you went the wrong way *(infinitive)*
se habría puesto .... s/he, you, I would have put *(perfect conditional)*
se negó .... s/he, you refused or denied *(preterite)*
se quema .... s/he, you burns him or herself *(present)*
se quemó .... s/he, you burned him or herself *(preterite)*
se relaja .... s/he relaxes / you relax *(present)*
se resbala .... s/he slips / you slip *(present)*
se resbaló con un plátano .... s/he, you slipped on a banana *(preterite)*
se sentía mejor .... s/he, you felt or was feeling better *(imperfect)*
se sentirá mejor .... s/he, you will feel better *(future)*
se sintió aliviado .... s/he, you felt better (at that moment) *(preterite)*
se sintió mareado .... s/he, you felt dizzy (at that moment) *(preterite)*
se volverán .... they will return *(future)*
se volvieron .... they returned *(preterite)*

según el médico	according to the doctor
Si hubiera alguien	If there were someone/anyone *(If clause, past subjunctive)*
Si no hubiera nadie	If there were no one *(If clause, past subjunctive)*
Si alguien te diera una...	If someone gave you a... *(If clause, past subjunctive)*
Si (yo) calentara (mi gorra)	If I heated my cap *(If clause, past subjunctive)*
Si (yo) estuviera en tu lugar, yo...	If I were in your place, I... *(If clause, past subjunctive)*
Si fueras más inteligente no mirarías...	If you were more intelligent, you would not look at *(If clause, past subjunctive), conditional)*
Si hubiera calentado...	If s/he, you, I had heated... *(If clause, pluperfect subjunctive)*
Si hubiera puesto...	If s/he, you, I had put... *(If clause, pluperfect subjunctive)*
Si hubiera sabido...	If s/he, you, I had known.. *(If clause, pluperfect subjunctive)*
Si me hubiera pasado, yo habría...	If it had happened to me, I would have... *(If clause, pluperfect subjunctive, compound conditional)*
Si no hubieras tenido la gripe,...	If you had not had a cold/flu,... *(If clause, pluperfect subjunctive)*
Si (yo) pudiera ir a cualquier lugar, ir ía...	If I could go anywhere, I would go,... *(If clause, past subjunctive, conditional)*
Si (yo) pudiera leer cualquier libro, leería...	If I could read any book, I would read... *(If clause, past subjunctive, conditional)*
Si pudiera...	If I,s/he, you could / were able to *(If clause, past subjunctive)*
Si tuviera...,¿qué haría?	If I, you, s/he had... , what would I, you, s/he do? *(If clause, past subjunctive, conditional)*
siempre	always
siempre lo habían hecho.	They had always done it. *(pluperfect)*
sudaba	s/he, you, I sweated (repeatedly or habitually) / was, were sweating *(imperfect)*
sugerimos	we suggest *(present)*
sugiero	I suggest *(present)*
suspiró	s/he, you sighed *(preterite)*
tarjeta de crédito	credit card
tarjeta de débito	debit card
un tazón de caldo	a bowl of soup or broth
tendrás que...	you will have to...(do something) *(future)*
tendré éxito	I will have success / be successful *(future)*
tendría tanto frío	s/he, you, I would be so cold *(conditional)*
tenía éxito	s/he, you,I had success / was successful *(imperfect)*
tenía la gripe	s/he, you, I had a cold, flu *(imperfect)*
tenía razón	s/he, you, I were right *(imperfect)*
(No) tenían dónde pasar la noche	They didn't have a place to spend the night *(imperfect)*
tienes razón	you are right *(present)*
tomará	s/he, you will take or drink *(future)*
tomó	s/he, you took or drank *(preterite)*
traerá	s/he, you will bring *(future)*
trajo	s/he, you brought (at that moment) *(preterite)*
el trasero	the bottom, rear end or butt
tratará otra vez	s/he, you will try again *(future)*
trató de proteger	s/he, you tried to protect *(preterite)*

trató de que .... s/he, you tried to (get someone to do something) *(preterite)*

él trató de que ella le diera .... he tried to get her to give to him *(preterite, past subjunctive)*

tuvieron .... they, you (pl.) had *(preterite)*

tuvieron que... .... they, you (pl.) had... to do something *(preterite)*

tuvo que... .... s/he, you had... to do something *(preterite)*

un fracaso total .... a complete failure

un vaquero .... an Argentine cowboy

vergüenza .... embarrassment

volver .... to return *(infinitive)*

ya habían comido .... they, you (pl.) had already eaten *(pluperfect)*